O sabor da harmonia
Receitas Ayurvédicas para o bem-estar

Rocco

O sabor da harmonia

Receitas Ayurvédicas para o bem-estar

Laura Pires

A Marcus Fahr Pessoa, que me guiou e inspirou neste caminho de sabedoria e vida. Por sua valiosa e essencial colaboração, tornou possível a realização deste livro. Minha profunda admiração e gratidão.

"Inspire, e Deus se aproxima de você.
Segure a inspiração, e Deus permanece com você.
Expire, e você se aproxima de Deus.
Segure a expiração, e entregue-se a Deus."

Krishnamacharya

"O que for a profundeza do teu ser, assim será teu desejo.
O que for o teu desejo, assim será tua vontade.
O que for tua vontade, assim serão teus atos.
O que forem teus atos, assim será teu destino."

Brihadaranyaka Upanishad

Sumário

Introdução	**10**
Parte I	**24**
Medicina Ayurvédica	25
O que são os *doshas*	31
A boa digestão	49
Os alimentos incompatíveis	56
Alimentação saudável	58
Ayurveda e o vegetarianismo	63
Estimulantes	69
Alimentos que não existem	89
A quantidade nas refeições	92
Rotina diária – *Dinacharya*	95
Rasa, *Virya* e *Vipak*	98
Estações do ano	105
Especiarias	110
Óleos	120
Parte II	**124**
Entendendo as receitas	125
Tabelas de alimentos	128
Cardápios	144
Receitas	152
Índice de receitas	**232**

Introdução

O lado de dentro do casulo

Eram os anos mais saudáveis e de mais vitalidade da minha vida, ou, pelo menos, era isso que eu achava. Tinha 23 anos e começava a interagir com o mundo. Trabalhava com arquitetura e decoração e gostava do que fazia, mas confesso que não tinha paixão, entusiasmo ou dom, e ainda assim era algo que me seduzia, me alegrava.

Em casa, outros desafios. Vivia uma crise conjugal e temia uma possível separação. O medo de encarar meus sentimentos me travava, mantendo-me no mesmo lugar. Sair da zona de conforto não era meu forte, nem meu objetivo. Aliás, esse, talvez, fosse meu maior pavor.

Como muitas pessoas, preferia suportar as situações penosas e desagradáveis do dia a dia, conviver com elas, a mudar e partir para algo desconhecido. Controlar meus impulsos, meus sentimentos, controlar o movimento dos outros e do mundo ao meu redor: talvez este fosse o meu maior desejo.

Essa tentativa de controle tão intensa, feroz e inconsciente acabou por se transformar, materializando-se de maneira muito forte. Eu, que queria controlar a vida, começava a ter sinais de que meu próprio corpo não podia ser domado.

Era o ano de 2006. Um dia, ao acordar, notei algo estranho. A visão periférica do meu olho esquerdo estava completamente borrada. Foi o primeiro sinal, e sem que eu sequer imaginasse, uma dolorosa saga teve início. Oftalmologistas, neurologistas, clínicos, exames, ressonâncias, tomografias... Em três meses minha vida transformou-se em visitas a laboratórios e consultórios médicos. E minha saúde só piorava.

O que começou como um desconforto no olho esquerdo logo ampliou-se para a perda de visão periférica dos dois olhos. Os sintomas se sucediam: sentia cãibras que podiam durar de duas a três horas seguidas, dormências pelo corpo, sensações de choque, ardência e tremor interno, rigidez dos membros, às vezes falta de reflexos, falta de coordenação motora e confusão mental.

Se em alguns dias o quadro era assustador, em outros, simplesmente não sentia nada. Vivia no descompasso da surpresa: um novo sintoma aparecia enquanto outro estranhamente desaparecia. Buscava médicos ansiando por uma resposta, mas ninguém dizia nada. Restringiam-se a prescrever doses cavalares de corticoides, porém nada explicavam. Após muita investigação, dores, desconfortos, finalmente uma médica apontou indícios de uma doença desmielinizante do sistema nervoso: esclerose múltipla.

A medicina sabe pouco sobre esta doença. Não há qualquer certeza quanto às causas, manifestações, muito menos quanto a tratamentos adequados. Terapias experimentais são realizadas há anos no mundo inteiro, sendo meras tentativas de controlar os sintomas, sem que se chegue à cura. Logo que comecei a pesquisar sobre o assunto e ouvir as explicações dos médicos, me dei conta de sua complexidade. Os próprios médicos divergiam em seus discursos. Um dos maiores estudiosos da doença no Brasil definiu-a como inflamatória crônica, provavelmente autoimune. Por motivos genéticos ou externos, na esclerose múltipla, o sistema imunológico começa a agredir a bainha de mielina (capa que envolve todos os axônios) que recobre os neurônios, o que compromete a função do sistema nervoso.

Descobri algumas certezas, nada animadoras. A característica mais notável da esclerose múltipla é a imprevisibilidade dos surtos. De causas desconhecidas, em geral acomete jovens, entre 20 e 30 anos, atingindo mais mulheres e indivíduos de pele branca que vivem em zonas temperadas. Os sintomas e os chamados surtos variam, sendo comuns: perda ou excesso de sensibilidade, alterações na visão, problemas motores, fraqueza, dormência ou formigamento nas pernas ou de um lado do corpo, desequilíbrio, tremores, dificuldade de fala, respiração e controle dos esfíncteres. O diagnóstico é basicamente clínico, complementado por exames de imagem.

Diante dessa dura realidade, me desesperei. Era como uma sentença: chorei muito, mas não me entreguei. Sabia que não podia enfrentar tudo isso sozinha. Em plena crise conjugal, ajoelhei-me diante do meu marido e pedi que me ajudasse, que naquele momento não fosse embora, não me abandonasse. Num gesto de grande nobreza, Marcus colocou seus sonhos, desejos e crenças de lado e aceitou ficar comigo. Mais do que isso, tomou as rédeas da situação e começou a pesquisar, pela internet, pessoas e alternativas que pudessem me salvar.

Como os médicos não chegavam a um diagnóstico preciso, e percebendo que os tratamentos prescritos eram meros paliativos, e não ofereciam a possibilidade de cura, Marcus começou uma busca incessante de tratamentos mais eficazes e com chances reais de melhora. Entrou em contato com profissionais no mundo inteiro, e foi da Índia que tivemos a resposta mais alentadora: havia, sim, possibilidade de reverter meu quadro, mas a decisão deveria ser tomada logo. Conhecia a Índia, entendia um pouco daquela cultura, era um país que me fascinava. Mas nas condições físicas e emocionais em que me encontrava, a perspectiva de uma viagem tão longa rumo ao desconhecido me aterrorizava. No entanto, aquela informação ficou bem guardada dentro de mim.

Continuei minha peregrinação em busca de resultados. Fui a igrejas e centros espíritas. Consultei médicos e terapeutas das mais diversas linhas. Os meses iam passando e eu só piorava. Uma fadiga tomava conta de mim e em muitos dias eu mal tinha forças para andar. Às vezes passava tardes deitada, levantando só para ir ao banheiro ou à cozinha. Cãibras noturnas me arrancavam do sono, me fazendo trincar os dentes de tanto desespero. Era uma sensação terrível, como se os músculos das pernas e dos braços estivessem se rasgando. As juntas estalavam, truncavam, por vezes me paralisando. Mas dentre

todos os sintomas, o mais assustador era a perda da visão, que ameaçava a cada dia. O tempo não era meu aliado, e um dia uma médica, especializada em esclerose múltipla, foi incisiva: "Laura, não tem mais como adiar. Vamos para o hospital providenciar sua internação para dar início à pulsoterapia." Eu sabia o que estava por trás dessa palavra. Pulsoterapia é a administração de altas doses de medicamentos num curto espaço de tempo. Na esclerose múltipla, ela se faz com corticoides. Esta possibilidade me alarmou. Temia os efeitos colaterais da medicação e temia mais ainda que, ao final, não houvesse nenhum resultado positivo. Ao medo profundo veio somar-se um desejo igualmente forte de cuidar de mim, de me curar.

Fechei a porta do consultório, olhei para o Marcus e disse: "Vamos para a Índia." Fomos imediatamente para a agência de viagem, compramos a passagem e, em menos de 24 horas, embarcamos rumo ao país.

E foi aí que a minha vida começou a se transformar. O encontro com meu verdadeiro ser estava prestes a acontecer. Naquele momento eu era como uma verdadeira lagarta, em sua fase mais difícil, apertada, desesperadora, arrastando-me por caminhos tortuosos, limitada, achando que o mundo era apenas aquilo. Achava que passava por meus últimos momentos de vida, de sobrevivência, mas era apenas um intervalo forte e intenso que me transformaria.

Logo a lagarta aprenderia a voar como uma borboleta, passando a ver o mundo sob uma nova perspectiva, enxergando de cima o chão por onde antes rastejava. Foi preciso sentir as dores do corpo e da alma, passar por um recolhimento, cuidar da minha mente, do meu espírito, para ver outras possibilidades e oportunidades, vislumbrar uma nova realidade. Nem melhor nem pior, apenas diferente, mais consciente do meu ser, da minha existência, da vida em si.

Criando asas

Foram mais de 30 horas de viagem até chegar à pequena clínica ayurvédica, no interior do estado do Kerala, sul da Índia, onde uma equipe médica amorosa e sorridente estava a nossa espera. Lembro-me de cada detalhe: os olhares, os cheiros, cada passo vacilante.

O local não tinha muita estrutura, se comparado aos padrões ocidentais. Era uma pequena casa, com talvez três quartos para os pacientes e um banheiro coletivo. Não havia nem mesmo chuveiro, e tomávamos banho de caneca, usando a água morna que saía de uma torneira que ficava ao lado do vaso sanitário.

As salas de tratamento eram bem simples. O cheiro forte de óleos medicados estava entranhado nas paredes, macas e móveis. Havia manchas dos tais óleos por toda parte, já que a maioria dos procedimentos dependia basicamente desta poderosa ferramenta de cura.

Depois de nos acomodarem, tive a primeira consulta. O médico ouviu meu relato, me examinou. Enquanto conversava com suas assistentes sobre meu caso, não me contive:

— Então, doutor, quando começarei meu tratamento?

Ele, com muita calma, respondeu:

— Quando começará? Já começou! No momento em que você decidiu deixar sua casa e vir para cá, você deu início ao seu tratamento. Logo mais começaremos os procedimentos clínicos, remédios e terapias. Porém, mais importante que tudo isso é rezar. Há um altar na recepção. Vá lá, faça suas orações, e começaremos. Reze todos os dias, será muito importante para você.

Eu nunca tinha feito uma prece, mas segui sua orientação. Passei a orar para os médicos, pedindo proteção, clareza e saúde.

O tratamento foi muito difícil, mas me entreguei de corpo e alma. Por mais que tudo aquilo fosse diferente da minha realidade, seguia todas as recomendações, e no fundo sabia que aquele processo era para sempre, que eu nunca mais seria a mesma pessoa.

Massagens com óleos medicinais, limpezas intestinais intensas e diárias, com óleos ou chás de ervas, se sucediam. A cada nova purgação sentia que, quanto mais meu corpo estava sendo limpo, mais minha alma ia se abrindo, se transformando.

Chorava horas e horas após as limpezas. Sentia emoções e sensações inimagináveis. Deparei-me com mágoas, rancores, dúvidas, alegrias, emoções havia muito escondidas, guardadas no meu ser. Pouco a pouco percebia o quão doente minha alma estava. Não era só o corpo físico, mas a mente e o espírito também precisavam daquela atenção e cuidado. A partir de certo momento, já nem me dava conta das condições precárias do local. O poder transformador da Ayurveda tomava conta do meu ser.

Foram 21 dias de internação. Recuperei completamente a visão, mas só passei a andar normalmente, com firmeza, depois de cerca de um ano e meio.

Ao voltar para casa, adotei novos hábitos e uma nova rotina. Devagarzinho a Ayurveda foi assumindo o controle da minha vida, da minha existência. Uma nova realidade delineava-se para mim.

Levantando voo

No retorno para casa, além da Ayurveda, a yoga e a terapia com hipnose entraram na minha rotina de maneira profunda e intensa. A primeira serviu para ajudar a acalmar meu corpo, recuperar os movimentos, a coordenação; a segunda, para criar novos padrões, perceber e entender emoções, sentimentos, apegos. Foram quase três anos dentro de um casulo, na minha casa, cuidando de mim, estudando e conhecendo a Ayurveda, vivenciando cada detalhe desta sabedoria milenar.

Ao longo deste processo, tornei-me extremamente vigilante e rigorosa em relação às minhas atitudes e ao meu comportamento, prestando atenção à respiração, aos exercícios e à dieta. Eu, que antes não me interessava muito pela cozinha, acabei me apaixonando pelo ato de cozinhar. No início, passava praticamente o dia todo preparando minha comida, me organizando e me entendendo com os utensílios. Passei a entender que aquilo que comemos e também o modo como preparamos e ingerimos nossos alimentos afetam de maneira profunda

a natureza das células, o funcionamento dos órgãos, assim como nosso estado mental, nosso comportamento e nossas reações à vida e aos acontecimentos.

Mais importante do que aprender as teorias ayurvédicas descritas nos livros e ouvidas nas aulas é vivenciá-las, e à medida que ia me aprofundando nos estudos, percebia que já tinha experimentado muitas das explicações. Fui aprendendo a Ayurveda na pele, na alma, no espírito. Hoje sinto correr pelas minhas veias toda uma teoria milenar, sinto que transpiro, transbordo pelos poros, pelos pensamentos e pela vida a Ayurveda.

Nos últimos anos, a Ayurveda tornou-se mais difundida no Ocidente. Muitos livros foram escritos sobre as teorias ayurvédicas, por grandes mestres como a dra. Sunanda Ranade, o dr. Subhash Ranade, o dr. Vasant Lad, David Frawley, Robert Svoboda, Deepak Chopra, e hoje estão ao nosso alcance, embora a maioria em língua inglesa. No entanto, poucos livros foram escritos até hoje sobre nutrição e culinária ayurvédicas. Este foi um dos principais motivos para minha busca e pesquisa: entender, estudar, aprofundar os conceitos e teorias ayurvédicos e aplicá-los à nossa realidade e aos ingredientes disponíveis no Brasil.

De acordo com esta sabedoria milenar, os alimentos têm propriedades terapêuticas que estão ligadas aos sabores e combinações. Isto significa que, para seguirmos a Ayurveda, não precisamos fazer receitas indianas, mas sim entender os princípios e adaptá-los às possibilidades do cotidiano, criando novas receitas baseadas na tradicional culinária brasileira.

Aprender a maneira correta de preparar os alimentos é essencial para aproveitarmos ao máximo os benefícios e as propriedades de especiarias, ervas, frutas, grãos e legumes. Ao conhecer os conceitos ayurvédicos você passa também a compreender melhor o seu corpo, a sua mente, seus comportamentos e suas reações aos alimentos e a diversas situações cotidianas.

A Ayurveda, porém, não se limita a comer de forma correta: um estilo de vida ayurvédico inclui uma rotina de yoga, pranayamas, oleações corporais e observação das atitudes, a fim de manter nosso corpo e nossa mente saudáveis. A Ayurveda vê o ser como um todo: mente, corpo e espírito. Todos sabemos o quanto é difícil lidar com a verdade. O processo de cura envolve enfrentar memórias mal resolvidas, assim como lembranças positivas – todas igualmente importantes na nossa história.

A partir do momento em que uma nova realidade me permitiu experimentar uma sensação de cura, fui presenteada com uma infinidade de opções: um novo estilo de vida, uma nova alimentação, uma renovação de pensamentos. A vida que eu levara até aí deveria ser aos poucos modificada. Isto não significava fugir do mundo. Podia, sim, viver e desfrutar de tudo, mas com olhares e comportamentos bem diferentes.

Até então eu não tinha consciência do meu próprio ser, das minhas necessidades reais. Não fora ainda capaz de fazer a conexão das memórias, vivências, medos e alegrias que cultivara ao longo da vida com a pessoa que me tornara. Percebi que, mais que um processo de sarar as dores e comprometimentos

físicos, eu havia entrado num processo de cura num sentido mais amplo e profundo, de verdadeira reestruturação de um ser físico, mental e espiritual. Fui aprendendo a conciliar os novos hábitos, a abrir mão de outros e acima de tudo a respeitar a realidade do meu corpo. Quando a nova rotina deixou de ser apenas uma obrigação para me manter viva, para me possibilitar enxergar, andar ou até mesmo ficar em pé, e se tornou uma rotina verdadeira e profunda, parte natural da minha existência, a vida novamente começou a fluir de maneira ainda mais positiva.

Este livro é uma síntese do que aprendi, vivenciei e descobri nestes últimos anos. A lagarta que via o mundo grudada ao solo, agora faz voos de borboleta. Hoje percebo que a doença que tanto me aterrorizou foi apenas um meio para me alertar e permitir entrar em contato com a minha essência profunda.

Ao longo destas páginas, abordo um pouco da teoria ayurvédica, dedicando-me especialmente à culinária. Apresento receitas, básicas ou elaboradas, que seguem os princípios milenares de saúde. Talvez alguns ingredientes inicialmente pareçam estranhos, exóticos, mas todos podem ser encontrados em supermercados ou lojas especializadas em produtos naturais. Pouco a pouco você se familiarizará com os nomes, aromas, sensações e sabores. Esta é a porta de entrada para um mundo novo e mais saudável. É o primeiro passo para transformar sua vida, assim como transformei a minha.

Meus estudos são baseados nos textos clássicos, *Charaka* e *Sushruta*; nos meus mestres Krishna Kishora, dra. Sunanda e dr. Subhash Ranade, dra. Priya e dr. Rajesh Deshpand, dr. Mohanan Warrier e nas grandes experiências que tive ao vivenciar esta sabedoria profunda sob os cuidados atentos e experientes de dr. Warrier e dr. Gokulan.

Quando decidi escrever este livro, minha intenção era a de partilhar minha experiência, despertando a natureza e a essência de outros seres. Escrevi para plantar sementes, esperando que germinem em cada pessoa que se permitir vivenciar a experiência da Ayurveda, a jornada ao seu próprio íntimo.

Não sou médica, fisioterapeuta, nutricionista, cientista e tampouco tenho qualquer formação tradicional em tratamentos que buscam curar doenças. Meu trabalho, minha dedicação à Ayurveda, nos cursos, nas orientações individuais e palestras que realizo, fazem parte do meu *sadhana*, palavra em sânscrito que significa "o meio para alcançar um fim desejado". Consiste numa rotina diária de práticas de observação, de cuidados com o corpo, a mente e o espírito visando à nossa evolução. Compartilhar os ensinamentos que recebi e continuo recebendo é minha meta, além de um passo importante para continuar a desvendar o meu ser e a minha mente, me mantendo saudável e equilibrada.

O convite está feito. Acompanhe-me nestas páginas e seja bem-vindo a um mundo novo e a uma caminhada em busca da sua mais pura essência.

Parte I

Medicina Ayurvédica

 Ayurveda pode ser compreendida como um sistema tradicional de saúde praticado na Índia há milênios. Parece exagero falar em milênios, mas de fato trata-se de uma ciência de quase 5 mil anos, que surgiu da dedicação de homens sábios, absortos no silêncio e na meditação. Por meio da observação de si mesmos, dos seres vivos, da natureza e de seus ciclos, investigando o nosso funcionamento orgânico em harmonia com a natureza ao redor, desenvolveram uma teoria natural de manutenção de saúde e cura.

Tais sábios, conhecidos como *rishis*, fizeram conexões entre nossos processos naturais, observando reações do próprio corpo em relação a cada planta e mineral, verificando a influência do clima e das estações sobre nossas funções orgânicas, sentindo detalhadamente a influência de cada evento da natureza sobre nós. Perceberam, por exemplo, que durante o frio do inverno o corpo necessitava de cuidados distintos daqueles que o verão demandava. Assim, classificaram os alimentos mais adequados para cada estação do ano. Observaram também que existiam distinções entre cada ser vivo, e mesmo entre seres da mesma espécie havia categorias com funcionamentos particulares. Desta forma, criaram tipos básicos de funcionamento de cada espécie, desenvolvendo o sistema de *dosha* ou biótipos humanos.

A investigação também se voltou para o interior do corpo. Sem que necessitassem dissecá-lo com um bisturi físico, identificaram o centro mais direto e consistente de nossa interação com o ambiente: o estômago. Perceberam que os alimentos que ingerimos exercem influência em nosso equilíbrio físico e mental, e apontaram a digestão perfeita como a maior fonte de saúde.

A Ayurveda está sempre se atualizando com o surgimento de doenças da modernidade e o desenvolvimento de novos procedimentos médicos. Contudo, continua apontando a boa digestão, o consumo de alimentos e ervas como essenciais para a saúde.

Para surpresa de muitos, a Ayurveda não é uma medicina mística ou apenas alternativa, e sim uma medicina complementar reconhecida pela Organização Mundial de Saúde como ciência eficaz no tratamento e prevenção de doenças. Em alguns países é a medicina oficial. Na Índia existem mais de 100 faculdades de Ayurveda, a maioria financiada pelo governo do país, havendo também instituições particulares. Todas as instituições seguem um programa de cinco anos de duração e é preciso passar por uma rigorosa avaliação a fim de se receber o honroso título de B.A.M.S. (*Bachelor in Ayurvedic Medicine and Surgery*). Há ainda outros títulos referentes às áreas de pesquisa e

filosofia. Logo, podemos seguramente afirmar que a Ayurveda é um sistema de saúde organizado e muito bem estruturado para prevenção e tratamento de problemas de saúde.

Aproximadamente há 1.500 anos antes de Cristo, a Índia vivia um período histórico conhecido como védico. Muito do conhecimento desta época começou a ser registrado em textos escritos, conhecidos como *Rigvedas* e *Atharvaveda*. Antes disso, prevalecia uma tradição oral do conhecimento, passado através de récitas dos mestres para os discípulos, que memorizavam centenas de versos. A sabedoria ayurvédica está reunida nesses tratados antigos que apresentam métodos para manter o corpo e a mente saudáveis. Diversos sábios se dedicaram a sistematizar esse conhecimento de forma abrangente e detalhada. O ponto em comum é a concepção de que para se restabelecer o equilíbrio perdido, sanar patologias e prolongar a vida, é preciso cuidar da alimentação.

Os sábios indianos da Ayurveda, sobretudo o professor Sushruta, definem saúde como a situação em que os três *doshas* ou biótipos — *Vata*, *Pitta* e *Kapha* — estão em equilíbrio. A digestão e o metabolismo do corpo estão adequadamente ativos, ou seja, seu fogo interno, o *agni*, está nem mais nem menos ativo, e os tecidos corporais, conhecidos como *dhatus*, bem como os sistemas excretores do corpo, se encontram num estado normal. O indivíduo que se encontra assim mantém-se em harmonia física e mental, vivencia a saúde, desfruta a alegria e o corpo simplesmente volta a sorrir.

Literalmente, "Ayur" significa "vida", e "Veda", significa "conhecimento" ou "ciência". Portanto, AYURVEDA é a ciência da vida. Nosso corpo nasceu para ser saudável e nossas células mantêm esta saúde se lhes oferecemos os alimentos adequados. Por esta perspectiva, curar é deixar que o corpo volte a desempenhar suas funções naturais de forma equilibrada, por meio de uma alimentação saudável e harmoniosa. Cada uma de nossas células possui uma inteligência inata para cumprir adequadamente suas funções. Não há o que lhes ensinar, basta permitir que sigam sua trajetória de saúde e felicidade. Para isso é preciso consumir alimentos orgânicos e ervas que ajudem a manter nosso biótipo em equilíbrio, preservando a eficaz digestão dos alimentos.

O *Sushruta Samhita*, um dos principais textos em sânscrito, apresenta as oito principais especialidades que são estudadas nas faculdades de Medicina Ayurvédica: cirurgia geral (*salya*), doenças da cabeça e do pescoço (*salakya*, incluem oftalmologia e otorrinolaringologia), medicina interna ou clínica médica (*kayacikitsa*), psiquiatria e doenças de causas não naturais (*bhutavidya*), ginecologia, obstetrícia e pediatria (*kaumarabhrtya*), toxicologia e envenenamento por animais peçonhentos (*agadatantra*), terapia de rejuvenescimento (*rasayana tantra*), terapia dos afrodisíacos (*vajikaranatantra*). Isso demonstra a complexidade e abrangência da Ayurveda.

As receitas alimentares, formulações e composições de ervas ainda hoje prescritas seguem estritamente os textos antigos.

A Ayurveda nos tranquiliza, pois somos orientados por uma medicina testada milenarmente, que respeita os textos redigidos por sábios e aperfeiçoados pelos avanços da modernidade.

Se seguirmos as orientações ayurvédicas, se mantivermos um regime alimentar apropriado, um estilo de vida suave, evitando excessos e imprudências no dia a dia, conquistaremos uma vida plenamente saudável e feliz. Na maioria das vezes, buscamos os tratamentos ayurvédicos depois de termos sido por demais indulgentes com nós mesmos, necessitando, assim, restabelecer o mecanismo correto do que foi perturbado em nossos códigos celulares. A Ayurveda, no entanto, não se volta apenas para questões que surgem na vida adulta, mas se preocupa também com alterações congênitas, que surgem já no nascimento. Há um encaminhamento para tudo, buscando sempre a sabedoria equilibrada que rege a natureza.

A Ayurveda nos revela como transformar a energia dos elementos que constituem todas as substâncias que nos cercam, de modo a nos beneficiarmos delas. Os alimentos, ervas e temperos utilizados não trazem nenhuma substância química ou sintética produzida em laboratório. Só se emprega aquilo que a Mãe Natureza generosamente nos oferece. Os temperos naturais e ervas são substâncias derivadas de plantas, frutas, legumes, raízes e cereais. Por meio de seu código genético e da fotossíntese, os vegetais codificam a energia do sol, e quando os ingerimos estamos nos sintonizando com esta grande fonte de vida.

Da mesma forma que o sistema solar possui um sol transformador e gerador de energia, nosso sistema orgânico também possui o seu sol: nossa digestão, o *agni*. Logo, tudo que ingerimos é sagrado para manter o bom funcionamento deste nosso sol interno, fonte de vitalidade e força de todos os nossos tecidos.

> *Agni* é o fogo digestivo, o poder de converter os alimentos, bebidas, pensamentos, sentimentos e sensações em tecidos corporais, em energia vital. O poder de *agni* permite limpar toxinas (ou *Ama*), mantendo as funções do sistema digestivo em equilíbrio e consequentemente o corpo e a mente mais saudáveis. Se *agni* estiver muito baixo, pouco aproveitaremos daquilo que ingerimos. Se estiver alto demais, poderá destruir os alimentos antes de serem assimilados corretamente.

É este enfoque que venho oferecer: um auxílio para aqueles que buscam o equilíbrio. As receitas ayurvédicas que apresento aqui possibilitam uma melhor saúde da digestão. Mantendo contato com a natureza dos alimentos, teremos nosso paladar saciado através das delícias que a vida pode oferecer, e com certeza seremos mais felizes.

O que são os *doshas*

Existe uma profunda interdependência entre nós e o universo, através de uma constante troca de elementos naturais e vitais, comuns a toda a natureza. Esta energia está presente nos rios, solos, gramados, árvores, céu, minerais, ar. Toda a criação interage e troca influências que buscam um equilíbrio final, chamado homeostase.

Para a Ayurveda, matérias de natureza específica são estimuladas quando interagem com substâncias de mesma natureza, e passam a ser desestimuladas quando entram em contato com substâncias de natureza oposta, ou seja: semelhante aumenta semelhante. Portanto, precisamos entender nossa natureza, nosso corpo e mente, para buscarmos os hábitos, comportamentos e alimentos adequados a nós mesmos.

Quando comemos e bebemos o que é apropriado para nós, a saúde aflora de forma harmoniosa. Por outro lado, quando nos alimentamos de algo inadequado para nossa natureza, perdemos a vitalidade, e as doenças se manifestam.

Claro que existem outros fatores envolvidos nesta questão além dos alimentos, mas meu propósito neste livro é abordar uma culinária saudável, e, sem sombra de dúvida, esta é uma das fontes de equilíbrio ou instabilidade de nossa saúde. Se soubermos respeitar os princípios da nossa natureza específica, o *dosha*, a saúde e a felicidade irão banhar cada célula do nosso corpo.

Segundo a Ayurveda, a natureza é composta de cinco elementos essenciais: espaço ou éter, ar, fogo, água, terra. Pode-se entendê-los como vibrações que formam o mundo material e todas as coisas. A terra seria a vibração mais densa, enquanto o espaço ou vácuo seria a vibração mais sutil. Considerando o homem um microcosmo da natureza, ele seria determinado por estes mesmos elementos.

O elemento terra é a forma mais estável de energia, com características mais densas e pesadas. É do solo que todo o reino vegetal brota, rico em sua diversidade. Quando o elemento terra se sutiliza, encontramos o elemento água que, desprovido da forma compacta e densa da terra, adquire a fluidez do líquido que é capaz de transportar os sabores. Quando o nível energético se altera novamente, deixamos de ter a água e encontramos o fogo, que aquece e possui maior leveza. Assim, o líquido desaparece e resta a sensação de calor. A forma se apresenta na chama do fogo, o som é produzido pelo estalar das brasas e o calor vem pela emanação natural de suas vibrações em contato com nossa pele. A chama se transmuta no ar, que é leve e transporta o som, além de transmitir as sensações produzidas pelo vento. Quando entramos na energia

mais sutil, nos deparamos com o vazio do espaço que é capaz de transportar informações, mas não mais as sensações do toque do vento.

De forma semelhante, toda esta alquimia ocorre dentro de nosso corpo, em cada tecido. Em nosso sistema biológico, esses cinco elementos se combinam, promovendo as três forças primordiais da vida, os três humores ou biótipos.

> Na Ayurveda, o termo técnico para humores é *dosha*. Quando em desequilíbrio, os *doshas* são a causa no processo de adoecimento. Em sânscrito, são chamados **VATA**, **PITTA** e **KAPHA** e correspondem, respectivamente, aos elementos ar, fogo e terra, combinados com os elementos secundários éter e água.

Esses elementos determinam os processos de crescimento e envelhecimento da vida de todos os seres em todos os níveis, seja celular ou psíquico. Destas combinações de elementos surgem as características de cada *dosha*, como veremos mais à frente. Os textos clássicos ayurvédicos descrevem sete das mais importantes constituições: *Vata*, *Pitta*, *Kapha*, *Vata-Pitta*, *Pitta-Kapha*, *Kapha-Vata* e *Vata-Pitta-Kapha*.

O *dosha* é definido no momento da nossa concepção, mas pode e irá variar em função de inúmeras influências. Dinâmicos, estão em constante mudança devido a influências do clima, da lua, do sol, dos mares, das emoções, das ações, dos pensamentos, da comida que ingerimos.

Todos nós somos constituídos pelos três *doshas*, sendo um deles o predominante, que rege nossas características, tendências e padrões particulares. A combinação deste *dosha* principal com um secundário, que se manifesta em menores proporções, define nossa personalidade e funcionamento orgânico. Logo, a maioria de nós é *bi-dosha*, sendo incomuns os *uni-doshas*, havendo, ainda, os *tri-doshas*, que equilibram "quantidade" igual dos três biótipos.

Se durante a vida essa hierarquia dos *doshas* se mantiver bem próxima daquela definida no momento da concepção, a saúde permanecerá em equilíbrio. Se houver qualquer divergência ou mudança no estado natural, a ponto da dominância dos *doshas* se alterar, considera-se que há um desequilíbrio.

Se, a título de exemplo, sua constituição for *Vata-Pitta*, por toda sua vida você sofrerá influência destes *doshas*. Certamente o *Vata* terá maior participação, pois está em primeiro lugar. Diversos fatores como estresse e excessos podem desequilibrar essa organização, de modo que o *Pitta* se destaque, superando a influência de *Vata*, que passa a atuar em segundo plano. Porém, isto é circunstancial, e basta que as coisas se acalmem e se reequilibrem para você voltar a ser um legítimo *Vata-Pitta*.

O estudo dos *doshas* demonstra que, para cada um dos sete biótipos possíveis, existe um estado de equilíbrio na complexa

estrutura corpo-mente-espírito que nos constitui. Nossa capacidade de adaptação é constante, e a Ayurveda nos mostra que há diferentes caminhos para se buscar esta adaptação e conquistar o equilíbrio. A alimentação tem papel importante neste processo, e o que faz bem a um indivíduo pode ser prejudicial a outro. Esta é uma das grandes revelações da Ayurveda: não somos iguais, não há uma fórmula universal para o bem-estar, todos podemos e temos o direito de ser felizes, mas construiremos essa felicidade de formas distintas.

Para a Ayurveda, portanto, é muito importante que você entenda e reconheça sua natureza e os desequilíbrios gerados nela para que possa voltar ao seu estado natural, podendo viver no mais puro equilíbrio e felicidade. Afinal, saúde, para a Ayurveda, é a felicidade das células, do corpo, da mente e do espírito.

Os três *doshas*

Palavras-chave: instabilidade e movimento.

Características: pessoas do tipo *Vata* são geralmente agitadas. Tendem a ser magras, altas, de pele morena e seca, cabelo escuro e volumoso. Têm dificuldade em ganhar peso, são friorentas e suas extremidades costumam estar geladas. Caminham rápido, falam muito, mexendo constantemente o corpo e os olhos. Adoram mudança e falta de rotina.

Pontos fortes: bastante curiosas, aprendem qualquer coisa com facilidade e querem saber de tudo um pouco. São sensíveis, muito criativas e gostam de arte e da natureza. São viajantes natas.

Pontos fracos: são indecisas, inconstantes nos relacionamentos, atividades e emoções. Têm dificuldade de planejamento, organização e de seguir conselhos. Com apetite e sede irregulares, muitas vezes enfrentam problemas digestivos e de má absorção dos alimentos. Tendem a ter saúde frágil. São capazes de passar o dia todo em jejum, pois se "esquecem" de comer. Quando em desequilíbrio, podem ter problemas no sistema nervoso, prisão de ventre, gases, fadiga, tremores, tristeza, medo e ansiedade.

PITTA

Palavras-chave: combustão e realização.

Características: de estatura mediana, pessoas do tipo *Pitta* têm facilidade para adquirir músculos bem como para ganhar ou perder peso, embora geralmente o mantenham estável por longos períodos da vida. Sentem muito calor e transpiram com facilidade. Possuem dentes fortes, mas gengivas sensíveis. De olhos brilhantes, têm um olhar profundo e desafiador. Normalmente apresentam grande apetite e sede, e capacidade digestiva bem acelerada.

Pontos fortes: são habilidosas, concentradas e excelentes para aprender. Altamente disciplinadas, inteligentes e estudiosas, pessoas do tipo *Pitta* tendem a ser ótimos líderes. São questionadoras, críticas, gostam do poder e de enfrentar desafios. Corajosas e compreensivas, têm grande habilidade para solucionar situações difíceis e estressantes, pois são objetivas e focadas.

Pontos fracos: são perfeccionistas e costumam se irritar com facilidade. Quando em desequilíbrio, tendem a apresentar problemas de pele, alergias, queda de cabelo, irritabilidade, raiva, suor excessivo, enjoos e inflamações.

KAPHA

Palavras-chave: estabilidade e organização.

Características: possuem olhos grandes, dentes fortes, cabelos encaracolados e macios. Têm a pele fria, suave, pálida e muitas vezes oleosa. Seus movimentos são lentos e graciosos. Gostam de ficar mais isoladas e vivem num mundo particular. Também apreciam uma vida estável, confortável e tranquila, com rotina definida, organização e planejamento.

Pontos fortes: de personalidade tranquila e relaxada, pessoas do tipo *Kapha* têm apetite e sede constantes. São extremamente amorosas, protetoras, amigas e conciliadoras. São abençoadas com fé, amor, tolerância, afetuosidade, compaixão e uma mente calma e estável. Têm boa memória, voz melodiosa, profunda e muito agradável. A constituição física dos *Kapha* é sólida e forte, com boa massa óssea e muscular, o que lhes dá resistência e longevidade.

Pontos fracos: tendem a ter metabolismo e digestão lentos. Um *Kapha* desequilibrado sofre de ganância, possessividade e preguiça. Podem apresentar problemas pulmonares, gripes frequentes, congestão nasal, alergias respiratórias, edemas, retenção de líquidos, excesso de peso, tumores, baixa motivação, depressão e sonolência. Por serem muito apegados aos fatos e às emoções, buscam a comida para se sentirem reconfortados. Também têm tendência a se sentirem desvalorizados e rejeitados.

Se cada indivíduo apresenta o predomínio de características comportamentais, físicas e mentais de um determinado *dosha*, vale ressaltar que cada célula de nosso corpo também contém elementos dos três *doshas*. Para que nosso corpo se mantenha vivo e equilibrado, precisamos de *Kapha*, que é a coesão inerente ao organismo, responsável pela disposição e resistência física, sendo a qualidade que mantém os tecidos e a estrutura do corpo. Já *Pitta* governa as funções de aquecimento, as reações químicas e a combustão, enquanto *Vata* permite a atividade e o movimento de toda a fisiologia do corpo.

Descubra seu *dosha*

Quando você descobrir seu *dosha* predominante, perceberá que possui uma impressão metabólica em sua personalidade e que tudo o que faz tem a ver com essa impressão.

Muitos dos traços de personalidade que possuímos são manifestações do nosso biótipo de nascença. É uma bênção quando percebemos que não temos culpa pelo que somos e assim podemos nos aceitar tranquilamente, aprendendo a lidar com nós mesmos. Aquele medo constante ou uma injustificável indignação podem ser uma tendência do nosso *dosha*, por exemplo.

Conhecer as virtudes e fraquezas de nossa constituição permite-nos compreender como nosso corpo-mente-espírito reage em certas situações inesperadas, quando simplesmente mostramos nossa reação mais genuína.

Para se descobrir o *dosha* é necessário consultar um bom médico ayurvédico, com grande experiência. Ele saberá ler e interpretar os traços de personalidade, constituição física e metabolismo que o identificam. A melhor maneira de se detectar o *dosha* e seus desequilíbrios momentâneos é pela análise da pulsação que o coração emite, checando-se o pulso. Com isso, o médico ou terapeuta procura identificar as variações de ritmo e cadência do funcionamento do coração. Este é nosso órgão central, profundamente ligado à nossa alma, portanto saber ler seu modo de pulsar é entender como somos intimamente, é ter acesso ao nosso *dosha*, aos nossos desequilíbrios e tendências.

Examinar a língua também auxilia na identificação do *dosha*, pois ela revela como funciona nossa digestão, que está intimamente ligada à atuação do nosso sol interno. Ela também mostra o estado de vários órgãos e funções do nosso corpo e mente.

Cada *dosha* possui um *agni* específico. No indivíduo *Vata*, o *agni* é de pouco poder digestivo, porém rápido. Já o *agni* de *Pitta* é de alta capacidade digestiva, enquanto no *Kapha* a digestão é lenta, sendo capaz de absorver os nutrientes para os tecidos mais profundos do corpo. Assim, a pessoa com *dosha Pitta* tenderá a apresentar uma língua avermelhada pela intensidade química e ácida de sua digestão quente; já as pessoas *Vata* terão rachaduras na língua, devido à digestão irregular; por sua vez, *Kapha* terá uma língua esbranquiçada pelo excesso de alimentos gordurosos e geradores de muco que costuma ingerir. Forma e comportamento da língua, além de outros sinais nela presentes, são reveladores do *dosha*, mas são necessários anos de estudo, observação atenta e experiência para conseguir lê-los corretamente.

Descobrir seu *dosha* dominante permite que se tenha maior compreensão sobre o próprio apetite e que, assim, se façam as escolhas mais apropriadas para seu equilíbrio, aproveitando as receitas que ofereço. Cada uma tem a indicação do *dosha* para o qual é mais adequada. Você deverá optar pelas receitas sugeridas para seu *dosha*, ou por aquelas que aliviem o que está em desequilíbrio no seu sistema.

Conhecer o *dosha* também permitirá que você compreenda de que maneira opera seu apetite. Por exemplo, uma pessoa cujo *dosha* principal é *Vata* possui um apetite bastante irregular: come bem em alguns momentos e em outros prefere beliscar, sendo capaz de pular refeições quando está muito agitada. Já um indivíduo *Pitta* fica ansioso quando o horário das refeições principais se aproxima. O calor do fogo digestivo do *Pitta* estimula os sucos gástricos, impondo a ele a necessidade de se alimentar. Ele comerá bem, mas não em demasia, apenas o suficiente para apaziguar esta urgência pela comida. Um *Kapha*, que tem tendência a acumular peso e possuir uma estrutura corporal mais desenvolvida, prefere comer com calma e à vontade. Serve-se relaxadamente e come até se sentir satisfeito, não sendo incomum ir além do que precisa, sentindo-se depois meio empanzinado. Conscientes disso, teremos condições de escolher os alimentos mais adequados ao nosso *dosha*, de modo que a cada refeição nos sintamos nutridos e satisfeitos.

A mágica da refeição correta é incrível. Por exemplo, se um *Kapha*, que adora comer um pouco a mais, correndo o risco de engordar, se depara com um prato rico em alimentos que não estimulem sua densidade corporal, ou que até mesmo reduzam os tecidos do corpo, poderá comer à vontade, beneficiando-se do efeito harmonizador que esta refeição exercerá sobre seu *dosha*. Já uma pessoa *Vata*, que por conta das refeições irregulares pode não se nutrir adequadamente, tendendo a ser magra, terá a opção de alimentos mais nutritivos e de alto valor energético. Embora consuma pequenas quantidades, se beneficiará desses alimentos, que ajudarão na manutenção do peso e do calor interno. O *Pitta*, que apresenta grande capacidade digestiva, costuma desenvolver problemas estomacais, como refluxo ou acidez excessiva. Por causa disso, lhe será indicado consumir alimentos com pouca acidez e baixa capacidade de aquecer sua digestão, assim como as ervas refrescantes, que lhe trarão um alívio imediato, sem que sofra dos efeitos ácidos desagradáveis.

Vale observar que, embora cada um de nós tenha uma constituição única e inata, ao longo da vida vamos enfrentando situações e sofrendo influências que nos distanciam do nosso *dosha*, nosso ser puro, aquele que costumávamos manifestar quando crianças. O estresse, a alimentação inadequada, os atropelos da vida nas grandes cidades vão-nos afetando e nos levam a um *dosha* em desequilíbrio. Um exemplo para ilustrar: imaginemos uma pessoa *Vata-Pitta*. Por conta do *dosha* dominante, ela costuma pular refeições, beliscar e, a princípio, não tem tendência a engordar. No entanto, ela pode se habituar a substituir refeições por lanches rápidos e toda espécie de *junkie-food*, como pacotes de biscoitos fritos, hambúrguer, maionese, embutidos, doces e balas, uma barra de chocolate diariamente. Esse consumo excessivo de gorduras saturadas e hidrogenadas, essa alimentação pobre em nutrientes lhe cobrará um preço alto. É provável que em dez anos ela enfrente a obesidade. Suas características inatas de *Vata* ficarão camufladas pela gordura que se acumulou em seu sistema por anos, e ela passará a ter características *Kapha*. Se começar a comer adequadamente, estas características não demorarão a sumir, pois elas não fazem parte de sua natureza. Logo o *Vata*, seu *dosha* original, voltará a influenciá-la. Seus hábitos alimentares devem então se manter equilibrados, e o *Kapha* passa a ser apenas uma manifestação temporária em sua vida, por força dos maus hábitos.

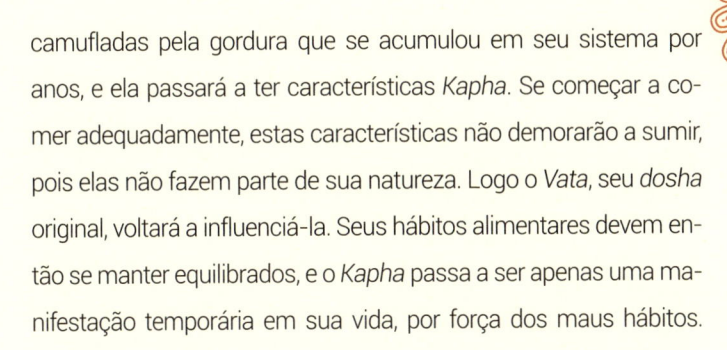

Muitas pessoas passam longos anos de suas vidas acobertando um *dosha* temporário, resultado de um desequilíbrio instalado em seu sistema vital. Algumas chegarão assim à velhice, recordando nostalgicamente do tempo da juventude, quando eram magros e bem-dispostos, e lamentarão não conseguirem voltar a se sentir assim. Para a Ayurveda, não existem impossibilidades. Ela acredita na capacidade do organismo em buscar sua homeostasia: basta lhe oferecer o alimento e a atividade física corretos, o estilo de vida adequado. Com essas medidas, com certeza nossa saúde e equilíbrio inatos voltarão a brilhar.

Há uma maneira prática e rápida de se descobrir o *dosha* predominante com uma boa margem de precisão: um questionário. O resultado, no entanto, não necessariamente apontará o seu *dosha* dominante, pois você poderá estar em um momento de grande desequilíbrio, apresentando comportamentos diferentes daqueles que seriam comuns à sua natureza.

É importante refazer o questionário após seis meses ou um ano, a fim de confirmar se o primeiro resultado correspondia realmente a seu *dosha* originário. Se você estava em desequilíbrio naquele momento, é provável que seu *dosha* inato já tenha voltado a resplandecer e se manifeste em plenitude. Será preciso, então, alterar sua dieta.

O teste está dividido em três seções correspondentes a cada um dos *doshas* principais. Em cada seção há 20 afirmativas, e você deve atribuir a elas um valor, conforme a indicação a seguir:

0 = Falso (não, isso nunca ocorre)
2 = Às vezes (ocorre de vez em quando)
4 = Verdadeiro (ocorre sempre)

Ao final de cada seção, some os valores atribuídos às afirmativas e preencha o total atingido. A seção com valor mais alto corresponderá ao seu biótipo predominante, e a segunda maior contagem indicará o *dosha* secundário. Lembre-se que, embora estejam listados apenas três *doshas*, a Ayurveda permite várias combinações. Se a pontuação for igual em duas seções, veja qual combina mais com você ou refaça o teste no dia seguinte. Uma nova leitura das perguntas talvez lhe permita respondê-las com mais precisão.

VATA

1. Os outros percebem que realizo as atividades com rapidez.
2. Tenho memória curta, sendo difícil lembrar-me das coisas no futuro.
3. Busco sempre a novidade e a animação.
4. Perco peso com facilidade.
5. Sinto-me estimulado a aprender coisas novas.
6. Tenho um andar leve e rápido.
7. Tenho dificuldade em tomar decisões.
8. Tenho tendência a ter gases e/ou prisão de ventre.
9. Fico com as mãos e pés frios facilmente.
10. Sinto ansiedade com facilidade e com frequência.
11. Dias frios e vento me incomodam.
12. Falo rápido, e meus amigos acham que falo muito.
13. Meu ânimo muda sem razão aparente e sou um tanto emotivo.
14. Não pego no sono facilmente, busco ler ou me distrair até ele chegar.
15. Minha pele tende a ser muito seca, e sente bastante os efeitos do inverno.
16. Sou criativo, me deixo levar pela imaginação e divago com facilidade.
17. Gesticulo muito. Tenho facilidade para lidar com meios eletrônicos. Percebo que minha energia tende a se manifestar em "surtos".

18. Sou suscetível a uma rápida excitação.
19. Meus hábitos alimentares e sono tendem a ser irregulares.
20. Gosto de aventuras e de viajar para locais novos.

TOTAL: _____

PITTA

1. Busco ser objetivo e organizado nas minhas atividades.
2. Sou conhecido pela minha eficiência.
3. Não gosto de pessoas indecisas e que não demonstrem inteligência.
4. No calor, sinto mal-estar e me canso facilmente, mais do que outras pessoas.
5. Transpiro com facilidade, especialmente quando como uma refeição muito quente ou apimentada.
6. Tenho muito apetite e costumo ficar nervoso quando se aproxima o horário das refeições. Se desejar, sou capaz de comer bastante.
7. Não me sinto bem quando pulo uma refeição, ou se o almoço ou o jantar atrasa.
8. Apresento uma ou mais das seguintes características: tendência a ficar grisalho ou calvo precocemente; cabelo fino e liso; louro, ruivo ou cor de areia.

9. Embora nem sempre o demonstre, sou capaz de me zangar com facilidade.
10. Apesar da facilidade em me zangar, esqueço o assunto rapidamente.
11. Posso ser teimoso e insistente para manter minhas ideias.
12. Minha evacuação é bastante regular, mas eventualmente posso apresentar diarreias.
13. Fico impaciente por coisas pequenas.
14. Sou bastante crítico.
15. Tenho tendência a apresentar problemas de pele, como descamações e inflamações.
16. É mais fácil eu achar que um ambiente está quente demais do que frio demais.
17. Sinto mais calor durante a noite do que outras pessoas.
18. Não tolero desavenças.
19. Aprecio desafios e quando quero alguma coisa sou muito determinado para consegui-la.
20. Tendo a ser perfeccionista e presto atenção aos mínimos detalhes.

TOTAL: _____

KAPHA

1. Naturalmente busco fazer as coisas de maneira lenta e relaxada.
2. Ganho peso com mais facilidade do que a maioria das pessoas e emagreço mais devagar.
3. Minha disposição é serena e tranquila, não fico agitado com facilidade.
4. Tenho sono contínuo e reparador.
5. Tenho tendência a ter excesso de muco, secreção, crescimento de glândulas sebáceas, congestão crônica, asma ou sinusite.
6. Gosto de ambientes familiares e de programas em casa.
7. Sou capaz de pular refeições sem nenhum mal-estar significativo.
8. Se precisar mostrar indignação, busco dar lições e não reclamo imediatamente.
9. Apesar de não aprender tão rapidamente quanto algumas pessoas, retenho bem as informações e tenho boa memória.
10. Tenho tendência para engordar – acumulo gordura com facilidade.
11. Não gosto quando o tempo fica frio e úmido.
12. Meu cabelo é grosso, escuro e ondulado.
13. Não tenho rugas profundas; minha pele é macia e suave, mas um tanto pálida.
14. Minha ossatura é larga e sólida.

15. Posso ficar deprimido em alguns momentos.
16. Minha digestão é lenta, o que faz com que me sinta pesado depois das refeições.
17. Tenho vigor e resistência física, bem como um nível de energia estável.
18. Meu andar é, de modo geral, lento e cadenciado.
19. Acordo meio zonzo e sou geralmente lento para fazer coisas na parte da manhã.
20. Minhas ações são lentas e planejadas.

TOTAL: _____

A boa digestão

Na Ayurveda, a digestão dos alimentos é a chave que abre a porta da saúde e mantém as funções orgânicas perfeitamente em equilíbrio. A digestão é o processo em que nosso organismo assimila cada parte dos alimentos que ingerimos e as transforma para serem absorvidas ou eliminadas.

O sistema digestivo atua com extrema precisão, coordenação e sincronia com cada órgão e suas funções, para garantir que os nutrientes cheguem às células, mantendo o corpo nutrido e saudável.

Este complexo metabólico produz resíduos que não se resumem às nossas excreções básicas. Quando o *agni*, nosso fogo digestivo, funciona corretamente, os nutrientes necessários são absorvidos, enquanto os demais são eliminados num fluxo perfeito e equilibrado. O funcionamento regular dos intestinos é sinal importante de uma boa digestão. Quando nosso aparelho digestivo funciona bem, sentimos fome antes das refeições e nos horários adequados e, após nos alimentarmos, somos tomados por uma sensação de leveza que atinge tanto o corpo quanto a mente.

Quando a digestão não ocorre corretamente, os resíduos formam toxinas que se acumulam no trato digestivo e se espalham para os tecidos por meio do sangue, atingindo todos os órgãos do corpo. A alquimia da boa digestão ajuda a evitar o acúmulo destes resíduos tóxicos, prejudiciais ao organismo.

> *Ama* são toxinas que ficam acumuladas em nosso corpo. A ingestão de alimentos incompatíveis com nosso *dosha*, má digestão, estresse, emoções negativas e sentimentos não digeridos produzem estas toxinas. Elas estão no corpo e podem afetar a mente, os pensamentos, as atitudes.

Os sintomas de fogo digestivo fraco incluem digestão lenta, obesidade, hipertensão, diabetes, excesso de muco, tosse, pele pegajosa, perda de apetite, letargia. Há diversas estratégias que podemos usar para melhorar o fogo digestivo e promover a formação das enzimas necessárias para a digestão. Um dos maiores segredos da Ayurveda para uma digestão saudável está na magia da cozinha, no uso de temperos e ervas. É essencial que os alimentos sejam preparados com ervas e especiarias que estimulem este processo, como coentro, cominho, hortelã, canela, pimenta-do-reino, cravo, açafrão, noz-moscada e cardamomo, como veremos mais adiante.

Os próprios sintomas usuais de uma má digestão podem indicar a influência excessiva de um determinado *dosha*. Queixas de indigestão, queimação, distensão abdominal, sensação de vazio ou constipação servem de dicas para a escolha adequada do alimento a ser preparado na refeição.

Por exemplo, sensação de peso ou de cansaço logo após a refeição indica que há excesso de *Kapha* no processo digestivo ou no seu *dosha* em desequilíbrio. Mesmo uma pessoa *Kapha*, ao comer, não deve ter queixas deste tipo. Regurgitações e azia após uma refeição, ou até duas horas depois, indicam excesso de *Pitta*. Já distensão abdominal ou gases estão relacionados com o *Vata* em desequilíbrio.

É interessante observar que uma mesma refeição pode provocar reações bem distintas em pessoas com *doshas* diferentes. Enquanto uma saboreia prazerosamente determinado prato, com brilho nos olhos, outra, após ingeri-lo, pode se sentir mal, contorcendo-se de desconforto ao final. Daí a importância de escolher adequadamente nossos alimentos, optando pelo que está de acordo com o nosso *dosha* a fim de alcançar a digestão perfeita.

As refeições devem ser feitas em local tranquilo, sem barulho. Não é aconselhável comer diante de aparelhos de som ou televisão ligados. As conversas devem ser moderadas para que se evite a formação de gases. É importante só se alimentar quando se sentir fome, e ingerir as quantidades corretas. Procure realizar as refeições sentado e consumi-las sem pressa.

A Ayurveda não define alimentos estritamente proibidos para certas pessoas; ela proíbe, sim, substâncias que não são naturais, como veremos mais à frente. Na verdade, o maior guia para nossa saúde é nossa consciência corporal. Por meio dela é mais fácil manter mente e corpo saudáveis.

Ter uma boa digestão vai muito além de não sentir qualquer mal-estar após a refeição. A boa digestão acontece quando os quatro principais processos que a compõem ocorrem de forma equilibrada. Assim, é preciso digerir, absorver, assimilar e eliminar o que se come adequadamente. Se alguma dessas funções orgânicas não ocorrer de maneira eficiente, entramos em desequilíbrio.

Conforme já vimos, a capacidade digestiva varia de acordo com o biótipo. Pessoas *Vata*, por exemplo, têm apetite bastante irregular: se num determinado momento estão famintas e se alimentam bem, podem passar horas a fio sem comer. Já os *Pitta* costumam ter um processo digestivo bastante intenso. Sentem fome em horas determinadas e quando, por algum motivo, não se alimentam nessas ocasiões, ficam bastante irritados. Os *Kapha* têm digestão mais lenta e, geralmente, nem chegam a sentir fome, pois passam o dia beliscando biscoitos e outras besteiras.

Para seguir a orientação Ayurveda, não é necessário memorizar tabelas de alimentos, dominar conceitos profundos e detalhados dessa sabedoria milenar, pois a resposta para nosso bem-estar está em cada um de nós: nosso corpo traz em si este conhecimento e precisamos apenas acessá-lo. Quando estamos em equilíbrio, sentimos vontade de comer o que faz bem para nossa natureza, ou o que irá apaziguar ou estimular nosso corpo e mente. Isso não quer dizer que comer uma pizza em um fim de semana, deliciar-se com uma taça de sorvete ou tomar um suco bem gelado uma vez ou outra vão destruir nossa saúde. O importante é estar sempre atento ao equilíbrio. Desrespeitar nossa natureza constantemente acabará por afetar nosso *agni* e, com certeza, comprometerá e muito nossa qualidade de vida ao longo dos anos.

Mas vale destacar algumas informações que são bem importantes para a manutenção da boa digestão. Certos temperos, alimentos, ervas ou preparos são extremamente eficazes para ativar o *agni* e mantê-lo equilibrado. São alimentos capazes de estimular o apetite, remover Ama do trato digestivo e melhorar a absorção dos nutrientes, assim como facilitar a eliminação do que não nos será útil. Mais adiante, apresentarei a lista comentada desses grandes aliados da digestão saudável. Antes disso, esteja atento para alguns hábitos que vão prejudicar esse processo. Para manter o *agni* estável, condição essencial para a digestão equilibrada, é preciso evitar:

- Beber muitos líquidos durante as refeições: tal hábito dilui o suco gástrico e dificulta o processo de digestão dos alimentos. Ingerir até meio copo de líquido durante a refeição não é prejudicial, mas é preciso estar atento àquilo que se consome: qualquer líquido muito gelado pode atrapalhar a digestão, assim como bebidas gasosas, como refrigerantes.
- Ingerir doces logo após a refeição: o sabor doce diminui o processo digestivo dos alimentos salgados. Nossa cultura da sobremesa logo após a refeição é condenável para a Ayurveda. Espere uma ou, de preferência, duas horas para comer um docinho.
- Comer alimentos não indicados para seu *dosha*.
- Comer sempre os mesmos alimentos: a variedade faz parte da vida saudável.

- Comer sempre em demasia: escorregadinhas ocasionais não matam ninguém, mas quando muito frequentes se tornam perigosas.
- Ficar acordado até tarde da noite, o que desregula a digestão e nosso biorritmo.
- Alimentar-se de comidas sem sabor ou congeladas.
- Comer em horários irregulares. Por exemplo, almoçar cada dia num horário diferente. Este hábito desestabiliza o *agni*, afetando funções orgânicas e mentais.
- Resistir à fome: a sensação de fome é um bom indicativo de que estamos prontos para receber o alimento. Se resistimos a ela e resolvemos comer quando não a sentimos, a digestão fraca no momento da falta de fome irá nos intoxicar mais do que nutrir.
- Discutir durante as refeições: somos seres emocionais e temos no corpo uma complexa atuação de hormônios. Cada emoção provoca reações enzimáticas e libera alguns desses hormônios no nosso sistema fisiológico. Brigas e tensões secretam substâncias que afetam a digestão, transformando boa parte do alimento que ingerimos em resíduo tóxico. Procure manter-se tranquilo durante as refeições, cultivando pensamentos felizes e agradecidos pela graça do alimento que está ingerindo.
- Consumir alimentos com combinações incompatíveis na mesma refeição ou num intervalo menor que duas horas. A seguir, nos deteremos neste ponto.

Os alimentos incompatíveis

Um dos segredos da Ayurveda é a escolha dos alimentos de acordo com nosso biótipo. A vida saudável se dá por esta dupla influência: as qualidades do alimento agindo sobre as qualidades de nosso *dosha*. A combinação correta destas duas forças faz aflorar vitalidade e saúde no corpo.

Contudo, existem alimentos que são absolutamente incompatíveis e arriscar combiná-los é comprometer o processo digestivo. Algumas combinações confundem o suco gástrico e uma gama de líquidos diversos é secretada no sistema digestivo. Outras geram maior assimilação dos alimentos, com menor produção de resíduos pós-digestivos. São sinais de uma digestão não saudável.

Talvez você já tenha notado que algumas misturas não lhe caem bem, mas provavelmente se surpreenderá com algumas combinações muito utilizadas na sociedade ocidental que não são recomendadas pela Ayurveda. Antes de duvidar das dicas ayurvédicas, procure testá-las. Experimente consumir essas combinações contraindicadas; num outro dia, faça a mesma refeição, evitando os alimentos apontados como incompatíveis e observe as reações de seu organismo. Repita essa experiência algumas vezes e chegue à sua própria conclusão. Com certeza, você verá com outros olhos as orientações da Ayurveda.

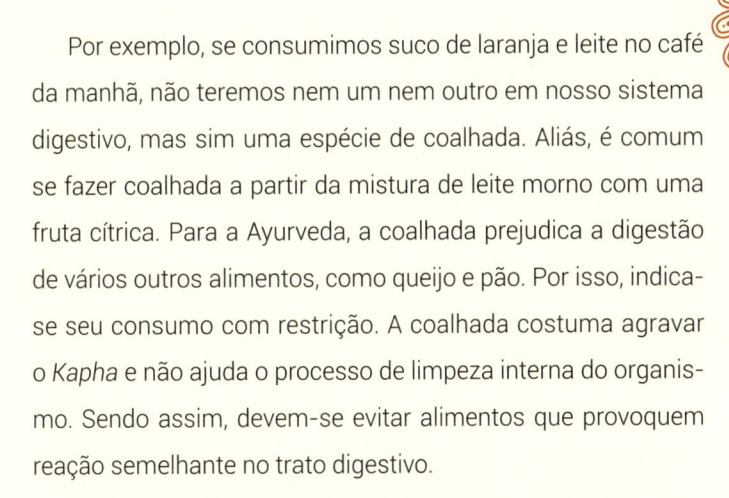

Por exemplo, se consumimos suco de laranja e leite no café da manhã, não teremos nem um nem outro em nosso sistema digestivo, mas sim uma espécie de coalhada. Aliás, é comum se fazer coalhada a partir da mistura de leite morno com uma fruta cítrica. Para a Ayurveda, a coalhada prejudica a digestão de vários outros alimentos, como queijo e pão. Por isso, indica-se seu consumo com restrição. A coalhada costuma agravar o *Kapha* e não ajuda o processo de limpeza interna do organismo. Sendo assim, devem-se evitar alimentos que provoquem reação semelhante no trato digestivo.

Vale observar que, se uma pessoa vem consumindo uma dessas combinações há muito tempo, provavelmente não sentirá nenhum desconforto. Isso não significa que não haja desequilíbrios internos, mas sim que o corpo deixou de lhe enviar sinais dessa incompatibilidade. No entanto, se a pessoa parar de consumir tais combinações por um bom período (três meses, por exemplo), sentirá nitidamente o mal-estar digestivo ao voltar a ingeri-las.

Vejamos algumas misturas incompatíveis:

- Leite com: carne, peixe, ovos, iogurte, alho, banana, melão, melancia e frutas cítricas. Logo, evite sucos de frutas com leite.
- Iogurte com: leite, ovos, queijo, peixe, bebidas quentes, tomate, batata e berinjela.
- Tomate, batata ou berinjela com: leite, iogurte, pepino e melão.
- Ovos com: leite, carne, peixe, iogurte, queijo, frutas e feijões.

- Manteiga clarificada (*ghee*) e mel, em proporções idênticas.
- Frutas frescas com refeições: as frutas produzem uma digestão ácida que deve ser assimilada antes de misturarmos outro alimento. Logo, elas só devem ser ingeridas uma ou duas horas depois da refeição.
- Amido com ovos e leite. Portanto, nossos tradicionais bolinhos com farinha branca, ovos e leite não são recomendados pela Ayurveda, pois prejudicam mais a digestão do que nos nutrem. No entanto, temos opções bem saborosas para substituição. Basta trocar o leite de origem animal por leite de amêndoas, coco, aveia ou soja. O resultado é deliciosamente saudável.

Alimentação saudável

Para a Ayurveda, a cura e a prevenção das doenças estão relacionadas com uma série de comportamentos que devemos ter ao longo da vida. Estes incluem dieta adequada, uso de ervas, prática de yoga, *pranayamas*, meditação, massagens e um estilo de vida tranquilo, emocionalmente equilibrado e sem exageros. Isto tudo faz parte de uma rotina diária, ou *Dinacharya*, em sânscrito, que detalharei mais à frente.

Pranayama é a capacidade de controlar o processo respiratório e auxiliar o corpo a ter mais *prana*. Com esta prática pode-se aumentar a capacidade respiratória e ter mais saúde e vitalidade. Manipulando a respiração, podemos controlar o humor e a saúde, pois ela é um espelho dos nossos pensamentos, da nossa mente, e a mente é também resultado da respiração.

A dieta é um dos fatores mais importantes da filosofia ayurvédica, pois os alimentos podem curar ou adoecer o corpo e a mente. Já vimos que o que comemos, como digerimos, absorvemos, assimilamos e eliminamos são de extrema importância para a saúde. A capacidade de digerir alimentos, emoções e situações é muito importante, pois, ao gerar *ama*, os *doshas* e a mente se desequilibram, e o corpo fica mais suscetível a doenças e patologias.

Às vezes os efeitos não são imediatos e podem levar anos para surgir. Por isso, não é raro que alguém não associe determinado sintoma a hábitos antigos. Por exemplo, há anos não se dizia que fumar poderia matar. Hoje sabemos que consumir um cigarro diariamente, ou uma vez por semana, apenas por um mês, não provocará nenhuma doença pulmonar. No entanto, se este consumo diário se estender por vários anos, as consequências serão sérias. O mesmo ocorre em relação aos alimentos: o consumo daqueles que não são adequados a nosso biótipo pode nos adoecer, depois de alguns anos.

Para seguir o conceito de comer de forma saudável, segundo a Ayurveda, basta seguir algumas orientações, nenhuma delas impossível de ser adotada em nosso dia a dia. A principal é saber escolher os alimentos que vamos ingerir. Não faz muito tempo e nossos avós, pais, quem sabe até nós mesmos, seguíamos muitas dessas recomendações saudáveis, sem nos darmos conta de que estavam ali orientações desta sabedoria milenar. Hoje a história é outra. A correria da vida nos cobra praticidade, até mesmo no momento do preparo das refeições. Também nos deixamos levar pelo apelo das propagandas, que nos fazem acreditar que os alimentos semiprontos encontrados tão facilmente nos supermercados são saborosos e saudáveis. Junta-se a isso nosso apetite por sabores diferentes e variados, e assim acabamos por ingerir alimentos nada saudáveis para o nosso organismo.

Tudo começa com a ida ao supermercado. Este é um momento fundamental para quem se propõe a iniciar uma dieta saudável. O ideal é restringir-se ao setor de cereais, frutas e verduras frescas produzidas sem agrotóxicos ou pesticidas, e que não tenham sido geneticamente modificados. A Ayurveda só reconhece como válida a alimentação orgânica com produtos desse tipo. Pouco adianta buscar uma alimentação equilibrada se continuamente ingerirmos agrotóxicos e pesticidas, ou vegetais que sofreram alteração em sua cadeia genética, o que nos traz consequências imprevisíveis.

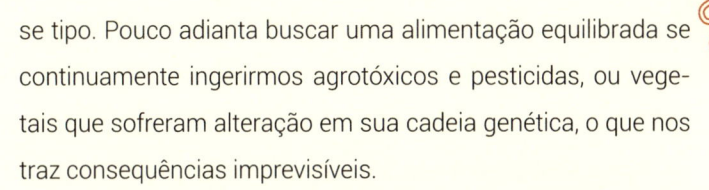

No Brasil, a cultura de alimentos naturais e orgânicos ainda está em expansão. Em muitas cidades é difícil encontrar opções orgânicas de todos os alimentos nos mercados. Uma vez que ficamos sem ampla escolha, é importante aproveitar o que está disponível, agregando o maior número de orgânicos possível em nossa dieta.

É bom estar atento para o termo *orgânico*. Examine com cuidado as embalagens: alguns produtos, embora destaquem tal termo, possuem apenas alguns itens orgânicos em sua composição. Tome cuidado e leia com atenção todos os ingredientes que compõem o alimento, e opte pelos mais saudáveis, de preferência aqueles que são 100% orgânicos.

O segundo passo é evitar o consumo de produtos industrializados. Alimentos enlatados (como ervilhas, milhos, salsichas, creme de leite), embalados (biscoitos, pães, molhos de tomate, maionese, sucos de fruta, leite), processados (queijos, hambúrgueres, embutidos, *nuggets*, catchup), congelados (lasanhas, pizzas, quiches, verduras, legumes, polpas de frutas) fazem parte da lista de contraindicações, assim como refrigerantes, óleos e açúcar refinados e adoçantes.

Lembre-se: alimento é algo que vem da natureza, e é a natureza que nos nutre. Há cerca de 40 anos, não existia a variedade de produtos industrializados que hoje abarrotam as prateleiras dos supermercados. Por trás das embalagens atraentes, escondem-se verdadeiros venenos para nosso organismo. No processo de industrialização, os alimentos perdem muitas de suas propriedades saudáveis. Para terem mais durabilidade e apresentarem sabor e cor mais agradáveis, recebem uma quantidade de aditivos e conservantes químicos. Uma rápida comparação dos rótulos de diferentes produtos aponta a coincidência de certos elementos. Logo, quando consumimos à vontade esses produtos, estamos saturando nosso corpo de substâncias cujos efeitos maléficos, muitas vezes, nem os médicos sabem prever.

Sendo assim, nosso organismo passa a ficar intoxicado. O processo começa no café da manhã. Tomamos um leite de caixinha com açúcar refinado, acompanhado de pão de forma, peito de peru e margarina. Cada um destes itens teve alguma substância química adicionada em sua fabricação para terem uma durabilidade maior. Se pensarmos isoladamente, pode-se alegar que a quantidade de conservantes numa fatia de pão é mínima – no entanto, é preciso lembrar que esta pequena quantidade soma-se a outras de tantos outros produtos, e isso se repete dia após dia, a cada refeição. Com o decorrer dos anos, vários órgãos ficam saturados e exaustos do constante trabalho de eliminar essas toxinas.

Logo, alimentar-se de forma saudável não se limita a consumir somente o que é aconselhável para o seu *dosha*. Não basta seguir uma dieta com ou sem carnes, com baixa caloria, sem gordura ou sem açúcar. É preciso mais. Saber escolher corretamente boas gorduras, optar por alimentos naturais, frescos e nutritivos, selecionar o açúcar correto, e, se for o caso, a proteína animal ou vegetal a ser ingerida. É necessário também combinar corretamente os alimentos para equilibrar os efeitos benéficos ou neutralizar os efeitos negativos que muitos deles, mesmo naturais, podem gerar. Se há os alimentos incompatíveis que não devem ser misturados, há também aqueles alimentos naturais que não trazem benefícios a nossa saúde e, mesmo assim, são largamente difundidos, principalmente pelo seu efeito viciante. Entre eles, o mais famoso é o café.

Ayurveda e o vegetarianismo

Saber se a Ayurveda é uma ciência vegetariana é uma curiosidade comum a todos. A ideia básica da Ayurveda é que devemos comer alimentos frescos e vitalizados, de fácil digestão e que promovam clareza mental. Para isso, identifica todos os alimentos naturais e suas propriedades e indicações, o que nos permite escolher o tipo de dieta alimentar que vamos adotar. Se vegetariana, frugívora ou incluindo carnes, trata-se de uma escolha pessoal. Não se discute o fato de que as carnes (vermelhas, brancas e outras proteínas animais) são consideradas pesadas, de difícil digestão. A Ayurveda esclarece, ainda, que podem provocar, ao longo do tempo, a formação de *ama*, as toxinas físicas e mentais.

Sendo assim, o vegetarianismo é uma escolha individual. Há quem busque uma sensação de leveza em vários aspectos da vida, optando por uma dieta vegetariana. Há quem precise da energia mais densa presente nas carnes.

O consumo diário de carne é permitido para qualquer tipo de *dosha*, como pode ser consultado na tabela de alimentos mais adiante. Os textos clássicos ayurvédicos, inclusive, recomendam a carne em determinadas circunstâncias e no tratamento de uma série de condições e debilidades físicas. Pessoas do tipo *Vata*, principalmente, são orientadas a consumir proteína animal quando os tecidos requerem reconstrução rápida. A carne também é usada por seu efeito estimulante sobre a mente e como afrodisíaco. É comum aconselhar-se seu consumo antes de lutas e esportes competitivos, pois mente e emoções são estimuladas.

Eu tive exatamente esta experiência. Antes de conhecer e estudar a Ayurveda, eu era ovolactovegetariana. Comia vegetais, legumes, verduras, leite e seus derivados e ovos. Acreditava que desta forma estava seguindo uma dieta supersaudável. No entanto, como acabou por se revelar, não soube balancear esta equação, o que acabou comprometendo e prejudicando minha saúde.

Hoje, minha dieta é basicamente a mesma, mas, por conselhos de médicos ayurvédicos, tenho que consumir peixes mensalmente, a fim de equilibrar o meu *Vata*. Confesso que no início a prescrição me pareceu difícil de seguir, mas passei a encará-la como parte do tratamento, e por isso continuo a comer peixes, ainda que em pequena quantidade. Infelizmente, nas grandes cidades, é difícil saber a procedência dos frutos do mar, e não temos certeza de que não haja contaminação da carne dos peixes por metais pesados.

De uma perspectiva ayurvédica, as práticas modernas de produção da carne comprometem as propriedades de cura naturalmente presentes nelas. Animais são criados em ambientes artificiais, e muitas vezes tratados de modo brutal, recebendo injeções de hormônios e outros produtos químicos. Tudo o que eles ingerem agrega-se a sua carne e se aloja no tecido de quem os consome. Além disso, a carne acaba sendo embalada em plástico e pode ser congelada por dias antes do consumo, o que a desvitaliza, levando à formação de *ama* e doenças. Logo, um animal só pode ser considerado seguro para o consumo se tiver sido criado em seu ambiente natural e tiver sido recém-abatido, usando meios não venenosos.

A medicina estabelece uma correlação direta entre dietas ricas em gordura animal e doenças do coração, obesidade e câncer de cólon. O corpo é incapaz de digerir grande quantidade de gordura saturada, de modo que converte esta gordura em colesterol mau (LDL) e em tecido adiposo. A carne animal contém proteínas em quantidade elevada, que podem sobrecarregar os rins, causando doenças renais resultantes do nível elevado de ureia no sangue.

A Ayurveda sugere como forma de alimentação mais saudável uma dieta vegetariana rica em grãos integrais, feijões, vegetais frescos, frutas, nozes e sementes. É claro que é preciso optar por produtos orgânicos, livres de agrotóxicos, para não correr outros riscos. Os laticínios, incluindo leite de vaca, manteiga, iogurte e queijos moles, também são recomendados com moderação. De acordo com a Ayurveda, uma dieta vegetariana promove a digestão ideal, o metabolismo adequado e a boa nutrição dos tecidos. Também favorece a produção de energia vital, levando a maior imunidade e vitalidade.

Há um equívoco em acreditar que somente carne contém proteína e que é preciso grande quantidade dela para manter a força e a energia do organismo. Muitas pessoas não se tornam vegetarianas por temerem ficar com deficiência de proteína. A verdade é que as leguminosas, além de feijões, arroz, trigo, entre outros alimentos, contêm muitas proteínas, bem mais leves para a digestão.

A dieta vegetariana apresenta uma série de benefícios nutricionais. Entre eles, podemos destacar: níveis mais baixos de gordura saturada, colesterol e proteína animal; níveis mais altos de hidratos de carbono de fibra, magnésio, ácido fólico, potássio, e antioxidantes, como vitaminas C e E e fitoquímicos. Por conta da alimentação mais saudável, os vegetarianos acabam por apresentar índices mais baixos de massa corporal, de colesterol e pressão arterial. Sofrem menos de hipertensão e diabete tipo 2, assim como estão menos sujeitos a isquemia cardíaca, câncer de próstata e de cólon.

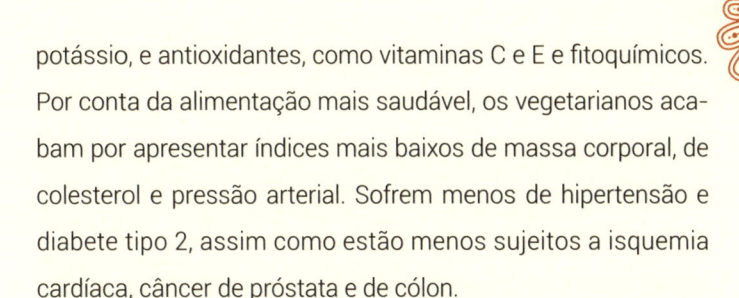

A Ayurveda recomenda, de forma diferenciada, o consumo de carne para os que desejarem, uma vez que ela é um alimento eficiente e condensado, suprindo de forma imediata muitos dos nutrientes necessários à vida. Se você se sente bem ao comer carne, a Ayurveda lhe oferece recomendações e receitas deliciosas que vão manter seu *dosha* em equilíbrio.

Cabe observar que, numa dieta que inclua carnes, elas devem ser preferencialmente brancas e preparadas com ervas estimulantes que facilitem a digestão.

Com relação aos *doshas*, o consumo de carne é recomendado especialmente para as pessoas do tipo *Vata*. Elas se beneficiam das gorduras e proteínas de boa qualidade encontradas em peixes como salmão e outras espécies de água fria. Os tipos *Pitta* se beneficiam do consumo de carnes brancas como a de peito de frango e de peru, mas devem evitar o consumo de carne vermelha. Dentre os peixes, os preferíveis são os de água doce, devido ao menor teor de sal. Pessoas *Kapha* também devem preferir carne branca de peixes de água doce, por ser mais leve, com menor teor de sal.

Lembre-se de que as carnes, quando associadas a produtos lácteos e frutas, sobrecarregam o sistema digestivo, portanto essa combinação deve ser totalmente evitada, seja na preparação ou na mesma refeição.

Se você não tem vontade de se tornar vegetariano, não há problema. No entanto, experimente comer menos carne – você se surpreenderá com a sensação de leveza que passará a sentir. Se tem por hábito comer carne diariamente, procure reduzir as porções, substituindo-as por leguminosas e verduras. Se costuma ingerir carne duas ou três vezes ao dia, tente incluí-la em apenas uma refeição, de preferência no almoço, quando o *agni* é mais forte, portanto o processo digestivo será mais intenso. Pense também em instituir um dia sem carne em sua rotina alimentar, para dar um descanso ao sistema digestivo.

Se você não consegue abrir mão da carne nas refeições, procure ao menos incluir algumas receitas com peixe em seu cardápio. Experimente também alguns pratos vegetarianos – você verá que a comida saudável tem opções bem saborosas. Não se esqueça de que uma dieta equilibrada exige também o consumo de vegetais.

Caso você tenha decidido tornar-se vegetariano, a Ayurveda desfaz o mito de que a proteína animal é essencial para a saúde. Como já vimos, a carne não é a única fonte de proteína de que dispomos.

Estimulantes

Pensei muito antes de escrever esta parte relativa a estimulantes. Não considerem meus comentários sugestão de alguma restrição nem me julguem radical quanto ao assunto. Já fiz uso de todos os estimulantes que comento aqui e se hoje não os consumo mais é porque conheço os efeitos que provocam em mim. Agitação e taquicardia eram frequentes quando tomava café; letargia e sono excessivo acompanhavam o consumo nada moderado de açúcares.

Não vou abordar aqui o uso de drogas nem do cigarro, pois são temas que fugiriam ao objetivo desta obra, que é explicar a alimentação ayurvédica. No entanto, se você fuma, posso lhe garantir uma coisa: a alimentação ayurvédica lhe fará muito bem. Depois de segui-la por bom período, os efeitos do cigarro se farão mais nítidos no seu corpo e naturalmente você sentirá o desejo e terá o incentivo interno para deixá-lo.

Embora a Ayurveda possua suas próprias recomendações alimentares, é bem aberta diante de várias possibilidades e respeita todas as opções individuais. Neste item, vou abordar algumas substâncias de uso corrente em nossa sociedade. O objetivo é falar abertamente desses estimulantes socialmente aceitos, já que, para que você se beneficie da alimentação ayurvédica, deverá controlar seu consumo. Procure seguir as técnicas alimentares aqui apresentadas. Com certeza seu corpo sentirá a diferença, e você logo perceberá isso.

Qualquer alimento, e até mesmo atitudes ou pensamentos, pode se transformar em vício. Alguns, no entanto, por possuírem substâncias estimulantes ou entorpecentes, são mais propensos a isso. Entre eles estão o café, o açúcar refinado, o sal, o chocolate, a gordura transformada ou animal. Não há limites para o vício: já vi pessoas viciadas em bebidas energéticas e chicletes.

Um princípio importante para a Ayurveda é que tudo na natureza possui uma utilidade, mas o que pode ser útil para uns é capaz de provocar efeito contrário em outros. Por exemplo, para uma pessoa *Kapha*, comer à noite uma tigela de pipoca e tomar um cafezinho depois poderá ser uma experiência bem agradável. A pipoca irá apaziguar a fome produzida por *kapha*, deixando a pessoa mais calma e sem a angústia de ter de comer pouco, enquanto o cafezinho terá um efeito adstringente e estimulante para a digestão rica em fluidos, característica destes indivíduos. Como resultado, ela terá uma noite tranquila, sem peso estomacal, e ficará satisfeita por conseguir dormir sem assaltar a geladeira de madrugada. Em alguém *Vata*, esta mesma receita poderia provocar distensão abdominal, gases, agitação, taquicardia e até cólicas intestinais. Ansioso e agoniado por esse mal-estar, ele ainda sofreria com o efeito estimulante da cafeína, podendo ter insônia durante toda a noite.

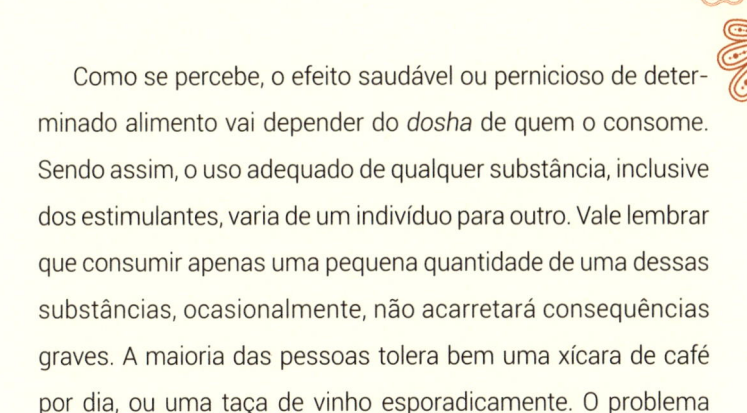

Como se percebe, o efeito saudável ou pernicioso de determinado alimento vai depender do *dosha* de quem o consome. Sendo assim, o uso adequado de qualquer substância, inclusive dos estimulantes, varia de um indivíduo para outro. Vale lembrar que consumir apenas uma pequena quantidade de uma dessas substâncias, ocasionalmente, não acarretará consequências graves. A maioria das pessoas tolera bem uma xícara de café por dia, ou uma taça de vinho esporadicamente. O problema é saber impor limites. Muitas vezes, somos instigados a usar as substâncias estimulantes ou entorpecentes a todo momento.

A vida corrida e estressante dos dias de hoje exige que tenhamos momentos mais descontraídos e prazerosos. Geralmente estes momentos de lazer envolvem comer e beber. Sem dúvida, estes instantes de relaxamento, em que nos deixamos levar pela ilusória sensação de que tudo é permitido, nos trazem bem-estar, alívio fugaz das pressões do dia a dia. No entanto, quando se tornam frequentes, semanais ou mensais, e em se tratando de certos vícios, vão nos levar a uma nutrição desequilibrada, o que tem como consequência um árduo caminho de volta à harmonia perdida. Não se discute o quanto é importante nos permitirmos viver momentos prazerosos com a família e amigos, degustando um bom vinho ou outro estimulante qualquer, como uma deliciosa torta de chocolate. Mas é fundamental desfrutar esses momentos moderadamente, conscientes de que equilibrar prazer e saúde é um desafio que devemos enfrentar, buscando o que nos tornará mais saudáveis e felizes.

Para algumas pessoas, é um passo importante reconhecer a tendência de consumir descontroladamente certas substâncias nocivas. Por exemplo, perceber que não é possível viver sem açúcar refinado ou uma barra de chocolate todos os dias é o primeiro passo para alguém decidir mudar esse hábito. Quem sabe, a partir dessa tomada de consciência, você decida diminuir a quantidade diária de consumo desses alimentos e procure gradualmente substituí-los por outros, mais de acordo com seu *dosha* e que também lhe propicie alegria e satisfação. Refletir sobre nossos hábitos alimentares e de lazer pode resultar no desabrochar de uma linda flor, saudável e esplendorosa, repleta de amor-próprio.

A seguir, abordo os principais alimentos e substâncias que têm este efeito estimulante ou entorpecente, todos de consumo permitido e bem difundido em nossa sociedade. Não vou apresentar uma análise profunda de cada um deles, já que este não é o objetivo deste livro. Pretendo oferecer elementos para uma reflexão a respeito das sensações e reações que tais alimentos provocam. É uma etapa importante para o despertar da consciência e, quem sabe, motivará você para futuras mudanças.

Açúcar

Suas fontes são a cana-de-açúcar, a beterraba, o *maple tree*. Quando naturalmente extraído da planta, é benéfico principalmente para os *Vatas* e *Pittas*. Seu alto teor calórico não é tão indicado para os *Kaphas*.

Vê-se que o açúcar, por si só, não é nenhum vilão da alimentação saudável, mas, quando refinado, torna-se uma poderosa droga desreguladora de todo o nosso organismo. Com as descargas de carboidratos desprovidos de nutrientes que são jogadas na corrente sanguínea e com o consumo diário de açúcar branco, doenças como diabetes encontram meio fértil para se desenvolverem. A medicina convencional já constatou os malefícios que o consumo excessivo de açúcar refinado pode causar. Artrite, osteoporose, acidez estomacal, doenças do sistema nervoso, disfunções glandulares e depressão estão entre as patologias a ele associadas.

Para a Ayurveda, não há espaço para discussão quanto a este alimento: o ideal é abolir completamente o seu consumo, substituindo-o pelo açúcar demerara ou mascavo. Daí introduzirmos aqui o conceito de alimentos que não existem. São certos produtos que, embora estejam ao nosso alcance em qualquer supermercado, prejudicam de tal forma o organismo que em nossa mente não deve existir sequer a possibilidade de consumi-los.

Sabemos que não é tão fácil assim encontrar doces, bolos, tortas, em supermercados e lanchonetes, sem açúcar refinado. Logo, se não for possível eliminar seu consumo radicalmente, esforce-se para, ao menos, seguir o princípio da moderação. Mas tenha sempre em mente, como um objetivo a ser alcançado, substituir o açúcar refinado por opções mais saudáveis: o açúcar demerara, o açúcar mascavo, mel e mel de agave.

O efeito do açúcar em cada *dosha*:

Cada tipo de açúcar gera uma reação no corpo, o que torna complicada a descrição de seus efeitos. Indico aqui os mais benéficos:

VATA   Açúcar mascavo ou demerara são os tipos recomendados para os *Vatas*.

PITTA   Devem evitar o mel. Assim como os *Vatas*, podem se beneficiar do açúcar demerara e até do cristal.

KAPHA   O mel é o mais indicado para pessoas *Kapha*.

Gorduras

Classificadas como saturadas, monossaturadas e polissaturadas, as gorduras são vitais para nossos tecidos. Elas despertam o apetite e são consumidas com avidez.

Reconhecemos que ingerir gordura nos faz engordar, porém há formas adequadas de mantermos o tecido orduroso e outros tecidos lubrificantes do corpo. A quantidade consumida é importante, porém poucos dão importância à qualidade da gordura ingerida. É inevitável utilizar alguma gordura ao preparar os alimentos, e por isso a consumimos diariamente, de forma direta ou indireta. Saber evitar os tipos densos e de difícil digestão é o que define se vamos estocar gordura "boa" ou "má" em nosso organismo.

Quando a gordura é boa, ela não provoca o estímulo viciante no corpo, simplesmente a ingerimos pela necessidade de aumentar nosso *Kapha*, mas não pelo vício provocado. Já as polissaturadas viciam, e o corpo busca consumi-las mais, na falsa esperança de estocá-las.

A gordura animal, quando aquecida, é de difícil assimilação e de complicada eliminação, ficando estocada na forma de colesterol ruim. Outra fonte de gordura saturada são os derivados do leite. A Ayurveda recomenda o consumo ocasional de alguns deles, como queijo ricota e iogurte, que agem no organismo de modo bem diferente que os queijos amarelos, ricos em gorduras.

Entre os derivados do leite, vale também destacar a manteiga clarificada, o *ghee*, que ensinarei a fazer mais à frente. O *ghee* possui propriedades emolientes que dissolvem as gorduras saturadas e estimulam uma digestão equilibrada.

Quanto aos óleos vegetais, é preciso estar atento à forma como foram extraídos. Expor o óleo à luz ou ao ar provoca um processo de decomposição de sua estrutura. Já submetê-lo a altas temperaturas produz substâncias rançosas e outras alterações que podem nos intoxicar. Muitos óleos com grande aceitação no mercado são processados de forma inadequada. Para se obter o óleo de soja, por exemplo, se aquece o grão a temperaturas altíssimas, a fim de se conseguir maior quantidade do produto. Óleos produzidos assim devem ser evitados. Logo, o consumo diário de óleo não é problema, desde que se faça a escolha certa: selecione bem a marca, optando sempre pelos que foram produzidos com prensagem a frio.

É preciso também estar alerta quanto ao consumo excessivo de gorduras trans, que não são reconhecidas pelo nosso organismo e nos intoxicam. Cuidado também com os óleos hidrogenados, como as gorduras vegetais e margarinas, largamente utilizados pela indústria alimentícia. Eles fazem parte dos ingredientes de grande parte de biscoitos e alimentos processados, o que torna difícil de evitar, porém essa é a indicação: evitá-los completamente.

O efeito da gordura saudável em cada *dosha*:

VATA — Em geral a boa gordura equilibra *Vata*, pois nutre, lubrifica a pele, as articulações e regulariza o sistema nervoso central. O ideal é utilizar como fontes de gordura o *ghee*, castanhas, amêndoas, abacate e coco.

PITTA — Pode agravar *Pitta* se consumida em excesso. Devem-se consumir preferencialmente azeite de oliva, óleo de coco, óleo de sementes de girassol ou coco.

KAPHA — Deve consumir pouca gordura para não sobrecarregar o organismo e dificultar a digestão. Utilizar como fonte sementes de girassol ou abóbora, e uma quantidade bem pequena de óleo de girassol no preparo das refeições.

Sal

O sal sempre foi reconhecido por sua capacidade de conservar os alimentos e ressaltar-lhes o gosto. A Ayurveda destaca seis sabores que exercem importantes funções no organismo, e entre eles está o sabor salgado. Ele pode, por exemplo, aumentar o apetite. Logo, é importante manter este sabor em nossas refeições, mas lembrando sempre que há maneiras diversas de se salgar uma comida, algumas mais saudáveis que outras.

São muitos os riscos que envolvem o consumo descontrolado e desatento do sal. Para começar, é preciso conhecer o modo como ele foi manufaturado. Há diversos meios de se produzir o sal, e normalmente se usam aditivos químicos para clareá-lo e impedir que se formem blocos em seus grânulos. Estes aditivos provocam o surgimento de substâncias nocivas a nossas células. O alto teor de iodo nele encontrado também exige cuidado no consumo. Soma-se a isso o fato de muitos alimentos processados receberem grande quantidade de sal tanto para melhorar o sabor, como para aumentar o prazo de validade. Assim, sem que nos apercebamos, acabamos por ingerir altas doses de sal diariamente, habituando nosso organismo com essa superdosagem. As consequências desse consumo excessivo são sérias. Não são poucas as patologias correlacionadas a ele, como a hipertensão.

Algumas opções mais saudáveis merecem ser consideradas. O sal marinho, mais nocivo, pode ser substituído pelo sal de rocha ou sal rosa. Esta sugestão vale especialmente para as pessoas de *dosha Pitta* que têm mais tendência a desenvolver hipertensão. Pode-se também evitar o sal refinado utilizando o sal grosso. Algumas embalagens deste produto trazem já pequenos trituradores para facilitar seu uso. Em geral, o sal só deve ser adicionado ao final do preparo do alimento, principalmente quando se estiver utilizando o sal de rocha.

Para se evitar o sal, há ainda outras opções bem saborosas. A culinária ayurvédica dispõe de uma série de receitas de temperos que dão um sabor todo especial à comida, sem o acréscimo de sal. Mais adiante, dividiremos com vocês o segredo desses temperos, os *masalas*. Já podemos adiantar que alho, cebola, aipo, tomate desidratado, tomilho, cebolinha seca e alho-poró estão entre os ingredientes capazes de dar um leve sabor salgado aos alimentos, bastando uma pitada de sal para ajustar.

Um detalhe importante: o consumo excessivo do sabor salgado, mesmo que não oriundo do sal refinado, pode causar desequilíbrios em pessoas de *doshas Pitta* e *Kapha*. Logo, é preciso utilizá-lo sempre com moderação.

O efeito do sal em cada *dosha*:

VATA Tem a capacidade de acalmar o *Vata* pois ajuda na digestão, aumentando o apetite, a produção de saliva e dos sucos gástricos.

PITTA Deve ser consumido com muita moderação para não agravar este *dosha*. Dê preferência ao sal de rocha.

* **KAPHA** Consuma em pequenas quantidades diárias a fim de evitar letargia, cansaço e sensação de peso. O ideal é misturá-lo com ervas secas quando preparar as refeições.

Café

Parte de nossa história desde os tempos áureos das ricas fazendas, o café é uma bebida intimamente ligada à cultura brasileira. Quem não reconhece o aroma saboroso de um café que acabou de ser feito?

Perceber quando a tradição de tomar um cafezinho deixa de ser um hábito prazeroso e benéfico e passa a ser um vício pernicioso para nossa saúde é fundamental. É provável que nenhuma outra bebida seja tão consumida quanto o café. Nem mesmo o álcool está tão incorporado a nossa rotina: afinal, a maioria das pessoas não bebe um drinque ou uma taça de vinho ao acordar, ou no meio da manhã, depois do almoço, na hora de um intervalo no trabalho, ou à noite, após o jantar. Mas é comum uma xícara de café em cada uma dessas ocasiões. Se você não se identifica com essa rotina de bebericar vários cafezinhos ao longo do dia, provavelmente conhece muitas pessoas que são assim: movidas a café.

Para avaliar até que ponto o café está agindo em seu organismo, observe quantas xícaras costuma beber ao longo do dia. Se sentir necessidade de uma terceira xícara diariamente, talvez já esteja sob o jugo da cafeína, sujeito à instabilidade no humor, vítima do uso abusivo do café.

Nos dias de hoje, pode-se notar que o café acaba sendo usado como uma compensação conveniente para um estilo de vida desequilibrado. Seu efeito estimulante imediato pode ajudar a resolver inadequadamente uma constipação, por exemplo. Ao beber uma xícara de café pela manhã, ainda em jejum, você pode estimular os movimentos intestinais, mas, em contrapartida, estará agredindo o estômago vazio. Ele também pode funcionar como estimulante quando corpo e mente pedem descanso. Nas saídas noturnas, frequentemente é usado para contrabalançar os efeitos do álcool. Há uma série de outras situações em que se bebe uma xícara de café como paliativo, numa tentativa de aliviar algo incômodo. Infelizmente esse consumo desordenado trará consequências graves ao longo dos anos e vai alimentar um ciclo de desequilíbrio. Ansiedade, disfunção adrenal, azia, colesterol elevado, disfunção hepática, nervosismo, refluxo ácido e até mesmo fadiga, como efeito compensatório, são alguns dos males que a medicina associa ao consumo abusivo de café.

O ritmo frenético da vida moderna parece que exige mais e mais café em nossa rotina. A Ayurveda, no entanto, tenta botar um freio nessa corrida e pede mais calma. A alimentação ayurvédica não condena o café, mas indica o modo sábio de utilizá-lo. Após as refeições principais, por exemplo, o café pode ser muito útil, pois seu acentuado sabor amargo e adstringente estabiliza o processo digestivo, que acaba ocorrendo sem tantos resíduos e mucos.

O efeito do café em cada *dosha*:

- **VATA** Os sabores amargo e adstringente combinados com o efeito estimulante da cafeína reduzem sua força digestiva. O café excita a mente do *Vata*, deixando-o num estado de profunda agitação que o leva a tomar mais café, estabelecendo-se um ciclo vicioso. Com isso surgem vários sintomas, como secura generalizada. Uma opção é o consumo de café descafeinado. O ideal, no entanto, é mesmo evitá-lo.

- **PITTA** A acidez do café agrava o *Pitta* e provoca refluxos caso ocorra consumo regular. O efeito estimulante da cafeína agita e esquenta *Pitta*. Os indivíduos deste *dosha* devem consumi-lo apenas quando sentirem que a refeição foi muito pesada ou oleosa.

- **KAPHA** Uma xícara de café após a refeição ajuda a dar início ao processo digestivo, já que, pela abundância de mucos, sua digestão costuma ser lenta e pouco eficiente. Antes da refeição, no entanto, o café neutraliza enzimas digestivas importantes. Uma xícara de café pela manhã pode ajudar a despertar.

Uma maneira de suavizar os efeitos do café nos doshas *Pitta* e *Vata* é sempre adicionar um pouco de leite ou cardamomo. Isso ajuda a quebrar sua acidez e a reduzir as qualidades amargas e adstringentes, que provocam secura nos tecidos, reduzindo os efeitos da cafeína.

Lembre-se de que sua digestão só desfrutará os benefícios da Ayurveda, caso você faça um uso consciente do café. Considere até mesmo que não será nenhum absurdo abrir mão do seu consumo do café. Ao tomar essa decisão, com certeza, você apreciará muito mais o sabor dos alimentos. As pessoas de *dosha Kapha* talvez aleguem que um cafezinho após a refeição sempre cai bem, e para elas, sem dúvida, isso é verdade. No entanto, é preciso que estejam atentas a um detalhe: fazemos apenas duas refeições por dia. Fora isso, são pequenos lanches, o que não justifica o consumo de café para ajudar a digestão.

Chocolate

Certa vez ouvi dizer que quem não liga para chocolate não pode ser uma pessoa feliz. Confesso que já fui chocólatra, e mesmo tendo parado de consumi-lo, sou feliz. Mas acalme-se, não vou pedir que ninguém deixe de comê-lo completamente. Aqui também a moderação deve ser nosso guia, e chocolates feitos com gorduras e açúcares saudáveis não têm grandes restrições.

Algumas culturas que passaram por escassez de alimentos com alto teor energético valorizaram a semente do cacau por suas propriedades energizantes. Em tempos mais antigos, grãos de cacau eram aquecidos, esmagados e batidos com água, resultando daí uma bebida amarga e espumante. Atualmente a receita dos chocolates é composta de açúcar refinado, óleos hidrogenados e outras substâncias nocivas, com uma concentração muito maior de grãos com alto teor de gordura. Isto cria uma substância poderosa que pode facilmente sobrecarregar o sistema digestivo, tornando o chocolate muito mais parecido com uma *junk food* do que com os preparados usados por culturas antigas.

O chocolate possui, além de cafeína, a teobromina (substância semelhante a ela). Assim como ocorre com o café, seu efeito estimulante pode provocar dependência, afetando o sistema nervoso e o cardiovascular. Outra substância presente no chocolate age de forma impactante em nosso sistema nervoso: a feniletilamina, conhecida como "hormônio da paixão". Por oferecerem um prazer imediato e mais energia, tais elementos podem nos levar a um consumo abusivo desse alimento tentador.

Se você gosta de chocolate, deleite-se ocasionalmente, dando preferência ao meio amargo ou amargo. No entanto, esteja sempre atento. Se perceber que está desenvolvendo um apego incontrolável por este alimento, então é hora de rever esse apaixonado relacionamento com algo tão saborosamente viciante.

O efeito do chocolate em cada *dosha*:

VATA Beneficiam-se do efeito calmante do açúcar e da gordura presentes no chocolate, mas a cafeína provoca uma agitação indesejada.

- **PITTA** Apreciam o sabor amargo do chocolate, mas sua acidez pode causar desequilíbrios, como palpitações.
- **KAPHA** A natureza psíquica *Kapha* encontra alegria e conforto no chocolate. Sua densidade, no entanto, perturba a mente e o corpo, levando a um rápido aumento de peso. Os chocolates amargos são os ideais para este biótipo.

Não há nada de mau em usar uma pequena quantidade de chocolate para dar um toque em algumas receitas doces. Mas se você é um chocólatra assumido, então é hora de fazer um jejum de chocolate, a fim de quebrar o ciclo de dependência. Afaste-se dele por alguns meses. Se for difícil, vá reduzindo o consumo gradativamente, até vencer o primeiro mês. Depois de três a seis meses, volte a ingeri-lo ocasionalmente em doces, mas não readquira o hábito de comprá-lo em barras: consumir grande quantidade de uma só vez pode ser perigoso.

Uma boa alternativa é tentar substituir o chocolate pela alfarroba. Com sabor e textura semelhantes aos do cacau em pó, não causa os efeitos da cafeína e da teobromina. Existem barras de alfarroba imitando as embalagens de chocolate em casas de produtos naturais. Sem dúvida o sabor e a satisfação não serão idênticos, mas vale tentar adotar esse hábito mais saudável.

Álcool

O vinho tinto é muito recomendado para promover uma melhor digestão, principalmente de carnes. As propriedades *Pitta* da uva rubra, ainda mais destacadas neste tipo de vinho, realmente auxiliam o processo digestivo. No entanto, é preciso lembrar os malefícios que o álcool provoca em nossos tecidos. É claro que beber um pouco de vinho como digestivo é bem diferente de se deixar levar pelos efeitos inebriantes do álcool. Mais uma vez, a quantidade fará toda a diferença. Tomar uma taça de vinho pode ser uma opção saudável para acompanhar uma refeição mais pesada, em que se consuma carne. No entanto, duas taças de vinho já podem abrir um ciclo de intoxicação e apego aos efeitos entorpecentes do álcool.

O uso contínuo do álcool provoca danos tanto físicos quanto mentais. Ao longo do tempo, a pessoa torna-se refém da bebida, já que se cria uma dependência química que pode chegar a graus bem elevados. Não importa o tipo de bebida alcoólica que se consuma, todas exigem um esforço redobrado do fígado e dos rins para desintoxicar os tecidos. Quando o consumo se dá em pequena quantidade e esporadicamente, tanto o fígado como os rins conseguem executar a faxina interna. No entanto, depois de repetidos abusos, estes órgãos já não dão conta da limpeza orgânica e ocorre um envenenamento lento e progressivo do corpo.

Beber acaba sendo a saída mais fácil para enfrentar o estresse do dia a dia, assim como para aliviar medos e frustrações mais profundos. Justamente por isso é importante que o consumo de álcool se faça de forma consciente. Se a bebida ocasional torna-se uma necessidade semanal, pergunte-se o que o está levando a isso. Se é a tensão no trabalho, procure mudar a rotina e, se não for possível, considere até mudar de emprego. Isso vale para todos os outros aspectos da sua vida. Diante de problemas afetivos, familiares, econômicos, não opte pelo escape mais imediato, refugiando-se num copo de bebida. A rotina de tomar um chopinho, tão bem aceita socialmente, na maioria das vezes disfarça mecanismos de fuga da realidade. Faça a diferença e permita-se uma nova vida. Saia alguns dias com os amigos e escolha não consumir bebidas alcoólicas. Em outro dia, tome um drinque, e vá seguindo assim, sem se sentir na obrigação de acompanhar o ritmo dos outros. Pouco a pouco, brotará de dentro de você a necessidade de escolher seu próprio caminho. Um caminho que lhe trará alegrias, prazer e bem-estar. Relaxe e desfrute da companhia dos amigos, ria com eles, divirta-se, entorpecendo-se não com as tulipas de chope, mas com a graça de estar vivo e saudável.

O efeito do álcool em cada *dosha*:

VATA Bastante sensíveis ao álcool. A levedura, o gás e a temperatura fria da cerveja agravam os tipos *Vata*, assim como o alto teor alcoólico da vodca ou do uísque. O mais recomendado são pequenas quantidades de vinho tinto, que podem realmente estimular o *agni* e melhorar a circulação.

- **PITTA** A cachaça ou aguardente – este termo já deixa bem claras suas propriedades – agrava severamente o *Pitta*, da mesma forma que o uísque e a vodca. Por ser menos quente em suas propriedades internas, a cerveja é a melhor escolha para os tipos *Pitta*.

- **KAPHA** Apesar de terem maior tolerância ao álcool, o entorpecimento ou efeito de embotamento faz pesar fortemente a mente e o corpo dos *Kapha*s no dia seguinte. Assim como para os *Vatas*, recomendam-se pequenas doses de vinho tinto, que podem estimular a circulação.

Se for consumir alguma bebida alcoólica, escolha-a com sabedoria. Apesar de inicialmente estimular os sentidos e os órgãos motores, criando uma animação temporária, o álcool acaba por embotar nossas faculdades, um efeito que pode permanecer por vários dias. Beba pouco e ocasionalmente. A sociedade estimula o consumo excessivo do álcool, mas não se deixe levar por essa falsa aparência de felicidade e bem-estar. Não tome as pessoas ao seu redor como modelo a ser seguido. Ouça o que sua voz interna tem a dizer sobre os efeitos do álcool no corpo. E quando decidir beber, não se esqueça de um detalhe: tenha sempre uma bela e farta refeição para acompanhar a bebida.

Refrigerantes

Só mesmo a indústria dos refrigerantes pode ficar feliz com o grande consumo desta bebida que corrói o sistema digestivo. Seu efeito corrosivo já foi e continua sendo largamente divulgado, mas, mesmo assim, muitos ainda continuam a ingeri-los. Por quê? Por dois motivos básicos: primeiro, por conta das nossas escolhas alimentares equivocadas. Quando comemos uma fritura feita com óleos de baixa qualidade, por exemplo, logo sentimos um peso no estômago, e nossa mente nos fará lembrar do alívio imediato produzido por um refrigerante. Assim, escolheremos a opção mais simples e disponível nos restaurantes, ainda que menos saudável. O outro motivo é o fato de muitos refrigerantes possuírem cafeína ou outras substâncias viciantes e estimulantes. Ao mesmo tempo que acidificam a digestão, elas estimulam os sucos gástricos e nos viciam.

Na verdade, mesmo com o estímulo dos sucos gástricos, o efeito corrosivo do refrigerante se encarrega de "fazer a digestão". Com isso, muitos nutrientes dos alimentos que ingerimos serão destruídos ou se transformarão numa borra inútil e tóxica. Com o tempo, poderemos apresentar sintomas de deficiência de nutrientes.

Para completar o quadro de efeitos nocivos dos refrigerantes, ainda temos as altas doses de açúcar refinado que estaremos injetando no sangue, tornando nosso organismo um campo fértil para o surgimento de diabetes. Ah, sim, sempre há a opção por refrigerantes com 0% de açúcar. Doce ilusão de uma escolha mais saudável: o consumo de adoçantes sintéticos pode ter consequências ainda piores que o de açúcar. Trataremos desse assunto no próximo tópico.

O efeito dos refrigerantes em cada *dosha*:

De modo geral, o efeito nocivo do refrigerante atinge os três *doshas*. Seu consumo prejudica o *agni* e depaupera a força digestiva, pois o organismo é levado a desconhecer sua capacidade de digerir os alimentos. Além disso, o refrigerante inibe a absorção de nutrientes.

Alimentos que não existem

Alimentos que não existem é um conceito para substâncias que não são provenientes da natureza pura, simples e verdadeira. Alimentos que não existem são todos aqueles que passaram por algum processo em que foram adicionadas substâncias químicas, seja para aumentar sua durabilidade, seja para realçar ou criar um sabor, ou ainda para substituir outro produto natural, ou apenas para ter um novo "alimento" no mercado.

Falando de adoçantes sintéticos, lembrei deste conceito que costumo repetir em meus cursos. Somos parte da natureza e ela nos nutre e nos cura; sendo assim, tudo que é sintético simplesmente não existe para a Ayurveda. Em nenhum texto clássico ayurvédico você irá encontrar alguma referência a este conceito, já que isso faz parte da nossa realidade atual.

Você pode usar adoçantes nas bebidas, mas evite sempre os sintéticos químicos. Alguns dos que ainda são comercializados em nosso país já foram banidos por órgãos como o FDA, nos Estados Unidos, por conta de estudos que os relacionam ao aparecimento de tumores cancerígenos. Um adoçante natural, disponível no mercado, é a folhinha de stévia, vendida como solução aquosa. Os *Vatas* têm dificuldade em aceitá-la, por seu sabor um tanto amargo. No entanto, sua saúde agradece o esforço.

A Ayurveda estudou os efeitos de cada planta e alimento, nos legando um conhecimento rico, que muito pode nos ajudar a manter uma vida equilibrada. Já os efeitos de cada descoberta química são totalmente imprevisíveis. Infelizmente não é raro a medicina recomendar a retirada de uma substância de circulação ao descobrir que é cancerígena, depois de ter sido comercializada por vários anos. Logo, o mais prudente é eliminar totalmente o consumo de tais produtos sintéticos: nenhum deles é reconhecido por nosso organismo.

Como já sugeri, crie o hábito de ler os ingredientes de todo produto que pretenda consumir. O ideal é escolher sempre aqueles que não tragam qualquer referência a substâncias químicas. Quando isso não for possível, opte pelos que possuam menos quantidade e variedade destas substâncias.

Portanto, afaste-se de:

- Aditivos de coloração.
- Ciclamato de sódio ou outro adoçante sintético.
- Margarinas (gordura hidrogenada vegetal).
- Produtos refinados quimicamente, como farinha de trigo e açúcar branco.
- Queijo processado. Na verdade, não é propriamente um queijo, mas um subproduto do seu processo de fabricação. Pode ser feito com pedaços de queijo, coalho, creme, água, corante e outros ingredientes químicos.
- Glutamato monossódio.
- Leite em pó (é surpreendente a quantidade de gases que geram nos intestinos. Basta observar o que acontece após algumas horas).
- Sorvetes artificiais.
- Balas artificiais.
- Barras de compostos de chocolate e outros docinhos coloridos.
- Amido modificado.
- Alimentos transgênicos.
- Refrigerantes.

A quantidade nas refeições

a quantidade de alimentos que se pode ingerir é importante para gerar uma perfeita mistura no estômago e preservar a digestão adequada. Uma dica para a hora das refeições é buscar comer a quantidade que promova a satisfação sem provocar a sensação de peso no estômago.

> Uma boa prática para definir a quantidade correta nas principais refeições é imaginar uma divisão de quatro partes em nosso estômago: duas ficariam para o alimento, uma para o líquido e a outra para o ar, ou seja, vazia. Tanto o líquido como o ar nestas medidas são perfeitos para promover a mistura correta do bolo alimentar e facilitar a digestão.

Assim como a fogueira tem sua chama aumentada quando estimulamos a circulação de ar abanando o fogo, o *agni*, nosso fogo digestivo, necessita de ar para ativar a digestão.

Já o líquido é importante para diluir o alimento e facilitar sua assimilação. No entanto, lembre-se de que a quantidade ideal de líquido vai depender do tipo de alimento que se está ingerindo. A regra é simples: quanto mais seco o alimento, mais líquido deve ser consumido; já refeições pastosas, repletas de molhos ou muito suculentas devem ser acompanhadas de pouco líquido. Logo, a consistência do alimento definirá a quantidade de líquido que devemos ingerir durante a refeição.

Quanto às duas porções de alimento recomendadas, podemos usar nossas mãos como se fossem uma xícara.

> O tamanho das mãos está diretamente relacionado com a dimensão do estômago. As duas mãos juntas em concha representam a "xícara ideal", ou seja, a medida do quanto devemos comer em cada refeição. Esta medida bem cheia deve nos satisfazer completamente no nosso dia a dia.

Quando a refeição é repleta de folhas, devemos colocá-las à parte e considerar apenas os alimentos mais densos e compactos, como cereais, raízes, legumes e carnes, para preencher nossa "xícara" das duas mãos. Se a salada estiver bem picadinha, não ocupando muito espaço, podemos incluí-la em nossa medição.

É importante também associar a quantidade de alimentos que vamos ingerir a nosso momento de vida. Se estamos numa fase de grande atividade física, é aconselhável aumentar nossa porção em até uma medida.

Por outro lado, se passamos por um período de doença, é hora de reduzir a quantidade, substituindo as duas mãos cheias por apenas uma. Esta diminuição no consumo de alimentos deixa o organismo mais leve, mais capaz de se reorganizar para eliminar as toxinas que as doenças geralmente produzem nos tecidos. Nesses momentos, deve-se preservar o fogo digestivo (*agni*), sem se exigir muito dele. A leveza que resultará de uma alimentação mais restrita permitirá uma melhor circulação em todo o corpo. No entanto, se a doença é causada por falta de nutrição dos tecidos, a alimentação deve ser alterada, para provocar mais vigor. Mas é preciso estar atento a um detalhe: não se deve modificar a quantidade de alimento que se consome, aumentando indiscriminadamente as porções. O que precisa ser repensado é a qualidade dos alimentos.

Na verdade, quando adoecemos, nosso organismo nos fornece muitos sinais de que precisamos mudar a alimentação. Como não conseguimos interpretar essas novas necessidades, acabamos por comer mais, tentando atender às indicações do corpo, o que só provoca uma sensação de insatisfação e falta de saciedade.

Comer uma quantidade restrita e proporcional à nossa constituição física, com boa seleção de alimentos, sempre será mais saudável para o organismo.

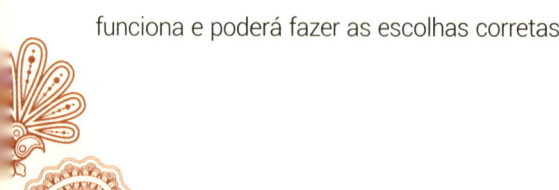

Atualmente é comum se aconselhar o consumo de lanchinhos ou refeições muito fartas. Para a Ayurveda, porém, é importante preservar o momento da refeição, mantendo o estômago vazio, preparado para receber a "xícara" de alimentos naturais, orgânicos e adequados a cada biótipo. Logo, evite beliscar entre as refeições. Uma vez ou outra, não há problema, mas não faça disso uma rotina. Com o tempo, você mesmo perceberá como sua digestão funciona e poderá fazer as escolhas corretas. Quando de fato for necessário, você se permitirá pequenos lanches, mas sempre com pelo menos três horas de antecedência da refeição principal.

Rotina diária – *Dinacharya*

Alimento é vida, nutre o corpo, a mente e a alma. Para a Ayurveda, nutrir-se é muito mais do que apenas ingerir alimentos. Tudo o que entra em contato com nossos sentidos é alimento. Ao olhar para seu prato, para a refeição que vai consumir, lembre-se: isto é apenas 1/5 da sua dieta. Aquilo que você vê, ouve, sente e inala também são alimentos. Logo, você nutre o corpo com alimentos, pensamentos, sensações. *Junk food* e sensações ruins geram toxinas e *ama*. Bons pensamentos geram tecidos saudáveis; maus pensamentos, desequilíbrios.

Segundo as escrituras clássicas da Ayurveda, uma rotina de hábitos equilibrados é essencial para determinar nossa saúde física e mental. A filosofia ayurvédica busca a felicidade e o bem-estar em todos os aspectos da vida. Para isto, devemos respeitar os ciclos biológicos naturais, assim como estar atentos a nossas atitudes e comportamento.

Hoje, a ciência ocidental já comprova que o corpo sofre alterações e recebe influência dos diferentes períodos do dia. Para a Ayurveda, existem seis ciclos ao longo do dia:

Período do dia	Influência do *dosha*
2h às 6h	*Vata*
6h às 10h	*Kapha*
10h às 14h	*Pitta*
14h às 18h	*Vata*
18h às 22h	*Kapha*
22h às 2h	*Pitta*

O quadro mostra em que parte do dia cada *dosha* está mais ativo. É uma boa indicação das influências energéticas que estamos recebendo da natureza. A partir disso, podemos administrar melhor nossas atividades cotidianas.

Dinacharya é o termo em sânscrito utilizado pela Ayurveda para indicar a prática consciente dos nossos hábitos diários. São como rituais que devem ser seguidos para fortalecer corpo e mente, promover a saúde e evitar desequilíbrios.

Existem algumas recomendações básicas da Ayurveda em relação ao *Dinacharya*. Embora saibamos que para a sabedoria ayurvédica tudo está interligado, o objetivo aqui é enfocar o poder do alimento. Daí a me limitar a listar os principais hábitos a serem seguidos diariamente. São eles:

1º Acordar ao nascer do dia, cerca de uma hora antes do nascer do sol.

2º Fazer uma conexão espiritual, conforme a concepção pessoal de religiosidade e espiritualidade.

3º Escovar os dentes e raspar a língua, utilizando um raspador para remover toxinas e melhorar o hálito.

4º Ingerir um copo de água morna pura ou com algumas gotas de limão para encorajar o funcionamento regular de todo o organismo.

5º Massagear o corpo com óleo apropriado.

6º Tomar banho.

7º Praticar yoga.

8º Praticar *Pranayamas*.

9º Meditar.

10º Tomar café da manhã.

11º Realizar atividades diárias de trabalho ou estudo.

12º Almoçar no período entre 12h e 13h30.

13º Descansar um pouco após o almoço, da forma que preferir (caminhar, relaxar etc.).

14º Voltar às atividades diárias.

15º Relaxar antes do jantar.

16º Ingerir alimentos de fácil digestão entre 18h e 20h.

17º Fazer uma breve caminhada.

18º Ouvir uma música harmônica e suave, relaxar.

19º Fazer oração, observar seu corpo, sua respiração e sua vivência do dia.

20º Dormir até as 22h30.

Talvez essa rotina lhe pareça muito distante de nossa realidade, repleta de tantas atividades. As muitas horas de trabalho, os afazeres domésticos, os cuidados com a família, os compromissos extras que sempre aparecem, para não mencionar os momentos de lazer, as festas, as viagens – a princípio, é provável que você considere muito difícil adotar os hábitos sugeridos pela Ayurveda. O bom senso há de ditar o ritmo das mudanças, e essa adaptação a novos costumes acontecerá aos poucos. A verdade é que, à medida que começar a mudar seus hábitos e incorporar atividades novas e revigorantes, passará a sentir-se tão mais disposto, saudável e feliz que seguirá essas orientações sem qualquer sacrifício.

Rasa, Virya e Vipak

Ao escolher os alimentos ideais para seu biótipo ou para tratar algum desequilíbrio, a Ayurveda leva em consideração uma série de fatores. Entre eles, há três de suma importância: o Sabor (*Rasa*), a Potência (*Virya*) e seu efeito pós-digestivo (*Vipak*). Todos os alimentos possuem estas características, que são estudadas pela sabedoria ayurvédica.

Segundo a Ayurveda, uma refeição deve conter os seis sabores: doce, ácido, salgado, picante, amargo e adstringente. Cada um está associado a uma resposta física e emocional. Enquanto o sabor doce pode ser mais atraente e causar satisfação, o amargo pode provocar desconforto e aversão. O conhecimento dos diferentes sabores nos torna mais conscientes a respeito dos nossos desejos e necessidades.

Sabor é uma característica presente em qualquer substância, e algumas podem apresentar até mais de um simultaneamente. Quando o alimento entra em contato com a língua, percebe-se seu sabor. Este estimula as células sensoriais das papilas gustativas, enviando poderosos estímulos ao sistema nervoso central. Ocorrem então variadas reações orgânicas e produção de enzimas, que vão ativar corpo e mente.

Embora a dieta ayurvédica equilibrada inclua todos os sabores, é preciso ajustar a quantidade de cada um deles de acordo com os *doshas*. O sabor doce contém os elementos terra e água; o ácido, terra e fogo; o salgado, água e fogo; o sabor picante contém fogo e ar; o amargo, ar e éter; o adstringente, ar e terra. Estas propriedades dos sabores podem harmonizar ou desequilibrar o *dosha*. Sendo assim, devem-se priorizar ou evitar certos sabores conforme suas ações.

VATA é equilibrado pelos sabores doce, ácido e salgado, mas é desarmonizado por picante, amargo e adstringente.

PITTA é harmonizado pelos sabores doce, amargo e adstringente, sendo desarmonizado pelos sabores picante, ácido e salgado.

KAPHA é harmonizado por picante, amargo e adstringente, sendo desarmonizado por doce, ácido e salgado.

Para ilustrar estes conceitos, vale observar como determinada refeição age sobre diferentes biótipos. Se um *Vata* e um *Pitta* saem para almoçar e escolhem como prato principal uma salada de folhas cruas (que são geralmente amargas e adstringentes) com pepino fresco e um chá gelado para acompanhar, ao final da refeição ambos mostrarão reações bem distintas. O *Pitta* com certeza se sentirá mais tranquilo, mais leve e com menos calor; já o *Vata* estará mais agitado e falante, sentindo o estômago pesado e cheio de gases, e isto se deve à capacidade digestiva de cada um, conjugada aos efeitos dos sabores no organismo.

A seguir, algumas características de cada sabor:

DOCE: Quando provado, reveste a língua com uma película, oferecendo sensação de prazer ao corpo e satisfação aos sentidos. Este sabor gera contentamento, estabilidade mental e prazer.
Pontos fortes: Faz muito bem às crianças, aos idosos e às grávidas. Ótimo para a pele, o cabelo e para o aumento da energia vital.
Alerta: Se consumido em excesso, produz letargia e aumenta a ansiedade.

O sabor doce está presente em alimentos como arroz, trigo, mel, leite, morango, abacate e *ghee*.

ÁCIDO: Quando provado, faz a boca encher-se de água, irritando a mucosa, podendo até provocar um arrepio na pele.
Pontos fortes: Desperta a mente e os sentidos. Estimula o ape-

tite, aumenta o fogo digestivo, energiza e esquenta o corpo. É capaz de umedecer e provocar leveza ao mesmo tempo.
Alerta: Se consumido em excesso, estimula a raiva e a impaciência, causa incômodo e desconforto, além de enfraquecer os tecidos do corpo. Pode provocar aftas, azia, dermatites, eczemas e acne.

Deguste o sabor ácido consumindo tomate, limão, abacaxi, vinagre, iogurte e queijo.

SALGADO: Em contato com a boca, aumenta a salivação, porém provoca ardor nas bochechas e na garganta. Tem função anabólica no corpo e promove e mantém a lubrificação e hidratação corpórea.
Pontos fortes: Estimula o fogo digestivo, aumentando o apetite; ajuda a absorção dos nutrientes e a eliminação do suor, da urina e das fezes. Consumido adequadamente, gera calma mental, pois é levemente sedativo.
Alerta: Em excesso causa hipertensão, edemas, retenção de líquido e problemas de pele, além de sentimentos como ciúme e hostilidade.

Algas, picles, peixes de água salgada e molho de soja são exemplos do sabor salgado.

AMARGO: Limpa o palato, inibe o paladar e ainda resfria e diminui o excesso de líquidos no corpo. Embora não seja agradável para muitas pessoas, ajuda a equilibrar todos os outros sabores.

Pontos fortes: Cria leveza e aumenta a inteligência. Alivia problemas de pele, coceira, vermelhidão, assim como reduz a febre.
Alerta: Se consumido em excesso, deixa os tecidos corporais fracos e gera debilidade sexual.

O sabor amargo é percebido em alimentos
como espinafre, açafrão, azeitona, babosa, café.

PICANTE: Estimula a ponta da língua, fazendo-a arder ou formigar. Também forma água nos olhos (lágrimas), na boca e no nariz (muco), provocando queimação nas bochechas.
Pontos fortes: Amplia a mente e os sentidos. Estimula o fogo digestivo, aumentando o apetite e a evacuação.
Alerta: Se consumido em excesso, estimula a raiva e a impaciência, além de causar sede, diminuição do sêmen e da força física. Pode provocar tremores, náusea e azia.

Experimente o sabor picante do gengibre, do alho,
da pimenta, da cebola, da rúcula, do agrião.

ADSTRINGENTE: É redutor dos tecidos, tem efeito curativo e refrescante. Resseca a gordura e a umidade corporal.
Pontos fortes: Ajuda a parar sangramentos e alivia úlceras. Insensibiliza a língua e causa secura na garganta. Esfria a mente e elimina a letargia.

Alerta: Pode gerar irritabilidade, agitação mental e medo. Se consumido em excesso, provoca constipação, flatulência, azia, rouquidão. Pode paralisar a circulação.

O adstringente está presente em feijões, brócolis, batata, couve-flor, grão-de-bico, banana-verde, repolho.

Virya (Potência)

Os sabores também são analisados de acordo com o *Virya*, que é a capacidade dos alimentos de aquecer ou resfriar o organismo, assim como aumentar ou diminuir nosso *agni*. A intensidade do aquecimento ou do resfriamento é diferente para cada um dos sabores. Por exemplo, o picante é o que mais esquenta o corpo, o ácido esquenta em menor intensidade. Segundo os textos clássicos ayurvédicos, a capacidade de esquentar e resfriar segue a seguinte ordem, do mais forte ao mais leve:

Virya quente	Virya frio
Picante	Amargo
Ácido	Adstringente
Salgado	Doce

Um *Virya* frio vai aumentar *Vata* e *Kapha* e acalmar *Pitta*, enquanto um *Virya* quente aumenta *Pitta* e acalma *Vata* e *Kapha*.

Vipak

É o efeito pós-digestivo dos sabores que ocorre quando os tecidos do corpo absorveram todos os nutrientes encontrados no alimento consumido.

Sabores doces e salgados têm efeito pós-digestivo doce. Sabor ácido, após digerido, permanece ácido. Adstringentes e picantes, após digeridos, têm efeito picante no organismo.

Podemos afirmar, então, que *Rasa* (sabor) é a experiência que temos dos alimentos em contato com nossa língua; *Virya* (potência) é a sensação que temos um pouco depois, quando sentimos nosso corpo esquentar ou resfriar; e *Vipak* é a ação do sabor perceptível pela coloração, características ou temperatura da urina, fezes ou suor. O que ocorre em nosso corpo quando ingerimos pimenta ilustra bem esses conceitos. Ao tocar a língua, sentimos seu sabor picante; quando começa a circular pelo corpo o sentimos esquentar e às vezes transpiramos imediatamente; após algumas horas ou no dia seguinte, percebemos um leve ardor ao urinar ou evacuar.

Agora que já entendemos e nos familiarizamos com os conceitos de *Rasa*, *Virya* e *Vipak*, podemos relacioná-los com os *doshas*, entender sua influência e passar a escolher os alimentos certos para equilibrar e harmonizar nosso corpo e nossa mente.

Estações do ano

a natureza, assim como a vida, se expressa em ciclos. Se aprendermos a tirar proveito desta força cíclica, desfrutaremos de muitos benefícios. A mudança das estações do ano é um dos ciclos que mais nos influenciam.

Os animais nos dão grandes lições deste viver em harmonia com a natureza. Eles sabem quais as necessidades que chegam com cada estação, e se preparam para elas. Logo, há uma sintonia entre as estações do ano e a rotina de todos os animais no planeta. Não é preciso nenhum estudo exaustivo para se chegar a esta conclusão. Basta observar a natureza. Os pássaros migram de região no ritmo das estações. Os esquilos sabem que devem armazenar certos tipos de alimento no inverno; os ursos hibernam. A cada mudança de estação, os animais sabem exatamente como se preparar para o racionamento ou a abundância de alimentos, e o que devem fazer para adquirir mais energia em seu corpo.

Como qualquer ser vivo, nós, seres humanos, também estamos ligados aos ciclos maiores da natureza, e devemos estar atentos a sua influência, procurando nos adequar a este ritmo. Na imensidão do universo, nosso planeta azul segue sua jornada em torno do Sol e de si mesmo, cumprindo, assim, seu papel no grande jogo cósmico. Como uma das formas de vida do planeta Terra, nós estamos inseridos neste jogo. As estações nos conectam com este ritmo cósmico.

Na rotação da Terra, há dois momentos em que ocorre uma reversão drástica de seu movimento, quando o Sol parece se movimentar em direção ao sul e depois reverte este movimento para o norte, dividindo o ano em duas fases distintas de seis meses. No hemisfério sul, a primeira fase começa no solstício de inverno no final de junho, e a segunda, no solstício de verão, no final de dezembro.

Nosso corpo recebe influências e sofre alterações a cada mudança de estação. Isto porque cada *dosha* naturalmente aumenta durante as estações que apresentem qualidades semelhantes a ele. Sendo assim, a natureza seca e fria do inverno agrava *Vata*, enquanto o aspecto quente e seco do verão aumenta *Pitta*. Logo, um tipo *Vata* precisa tomar certos cuidados durante o frio do inverno, enquanto um *Pitta* deve se proteger do calor do verão. Por outro lado, a estação do ano naturalmente equilibra o *dosha* que tenha qualidades opostas a ela: assim, um *Vata* sentirá grande conforto no verão. A sabedoria ayurvédica nos revela a importância de seguir um regime que leve a um maior equilíbrio do *dosha* afetado pela estação. Para ajudar a manter ou restaurar este equilíbrio, é fundamental fazer mudanças na dieta e estilo de vida ao longo do ano.

Geralmente procuramos regular a temperatura do corpo com a escolha de roupas propícias a cada estação. Também é comum ajustarmos os alimentos que consumimos, preferindo, por exemplo, saladas frias no verão, caldos e alimentos mais aquecidos no inverno. A Ayurveda amplia nosso conhecimento em relação ao assunto, revelando-nos outros recursos de que dispomos para manter o equilíbrio sazonal. Um dos mais importantes é a realização de uma dieta de desintoxicação (dieta anti-*ama*) a cada mudança de estação. O objetivo é livrar o organismo de resíduos gerados no corpo pelo funcionamento metabólico da estação anterior. Com isso, se consegue também alívio para certos desconfortos, comuns durante as transições sazonais, como gripe, alergia, tosse. Você já deve ter percebido, por exemplo, como acumulamos mais muco durante o inverno. Logo, uma dieta alimentar que não os promova é fundamental. Da mesma forma, estamos mais propensos a alergias, conjuntivite e problemas de pele durante o final da primavera e do verão, quando o *Pitta* é estimulado. Novamente há uma série de alimentos que podem nos livrar destes sintomas indesejáveis.

Vamos então examinar como a natureza se comporta a cada estação e de que modo isso afeta nosso organismo. De 20 de junho a 20 de dezembro, no solstício de inverno, quando o Sol se movimenta para o sul, o corpo tende a se enfraquecer porque o Sol absorve muita umidade da terra, gerada durante o outono e o inverno. Nesse período, três sabores ficam mais pronunciados, pelo próprio efeito mais intenso do Sol no planeta: o amargo, o adstringente e o picante. Pode-se dizer que estes sabores já se encontram naturalmente presentes no ar. Observa-se então que toda a natureza parece eclodir: as sementes germinam, os brotos das árvores surgem e logo as flores desabrocham. A vida suga a energia da terra, alimentada ainda pela força do sol que se intensifica a cada dia. Um processo semelhante acontece dentro de nós: os tecidos são revigorados, exigindo mais de nosso organismo. É o momento de buscarmos energia em alimentos de sabor salgado, azedo e doce.

Vejamos as características de cada estação do ano:

Verão

O verão é quente e brilhante, assim como *Pitta*. O sol está em seu ponto mais forte, provocando intensa atividade de todos os organismos. Os indivíduos *Pitta* ou com *Pitta* agravado devem se esforçar para seguir uma dieta de redução de *Pitta*. É preciso diminuir os sabores picantes, os temperos apimentados, como alho, cravo, salsa, canela, e buscar combinações alimentares mais simples, com pouco óleo. Deve-se moderar o consumo de álcool no período que se estende do final da primavera até o verão.

Outono

É um período que torna todos os *doshas* vulneráveis. O frescor, a leveza, a secura e os ventos afetam a todos. Tipos *Vata* devem tomar cuidado extra evitando os sabores adstringentes e amargos, bem como comidas secas e pouco untuosas. Os *Pittas* devem abster-se de alimentos picantes, salgados e gordurosos. Já os *Kaphas* devem evitar os muito salgados, os doces, assim como alimentos frios, oleosos e gordurosos. Definitivamente, esta é uma época que exige maior cuidado de todos em relação ao próprio corpo, à sua alimentação.

No final do outono, com o clima mais frio, é recomendável a todos o consumo de alimentos e bebidas quentes. Muito descanso e relaxamento também são aconselháveis, pois é um período dinâmico em que toda a natureza se prepara para o próximo inverno.

Inverno

O inverno é frio e úmido; em alguns lugares, seco e intenso, afetando especialmente os *doshas Kapha* e *Vata*. Tipos *Kapha* devem fazer mais exercícios durante esta época do ano, em vez de cederem à tentadora hibernação. Os *Vatas* devem se aquecer no inverno, e tomar as medidas necessárias para compensar a secura dos dias ventosos e aquela provocada pela calefação nos espaços fechados. Como o fogo digestivo é forte no inverno, todos podem desfrutar de alimentos um pouco mais pesados. Os indivíduos *Kapha* devem evitar açúcar, alimentos frios (sorvetes) ou de natureza fria (como a banana), óleos e gordura, principalmente animal, difícil de se processar no nosso organismo. Os *Vatas* não devem consumir alimentos frios, secos e amargos.

Primavera

A primavera é quente e suave, como *Kapha*. Durante esta temporada, o calor do sol desperta a beleza e a vitalidade da natureza. O *Kapha* acumulado começa a se liquefazer na primeira parte da estação, sendo comum a ocorrência de resfriados, sinusite e alergias. A Ayurveda enfatiza a importância da limpeza interna na primavera, ou dietas detox para todos *doshas*.

Especiarias

A Ayurveda tem como grande objetivo auxiliar na prevenção dos desequilíbrios que levam ao desenvolvimento das doenças. Para isso, oferece uma série de orientações de dieta e estilo de vida, específicas para as necessidades de cada *dosha*, e que seguem as estações do ano e os ciclos da natureza.

Para a Ayurveda, legumes, vegetais, grãos, frutas e especiarias são substâncias medicinais, capazes de prevenir e curar patologias.

O alimento que vamos ingerir deve ser o mais fresco e orgânico possível e, de preferência, cultivado localmente. Para isto, a rotina de ir ao mercado deve se tornar uma prática prazerosa. Nada de comprar legumes, verduras, frutas de forma desatenta, como mais uma entre as tantas obrigações a serem cumpridas num dia. É preciso uma escolha cuidadosa daquilo que vamos consumir.

O ideal seria que todos nós tivéssemos a possibilidade de manter uma horta em casa e pudéssemos colher os alimentos que cresceram com o adubo de nosso amor. No entanto, sabemos quanto isso é difícil para quem vive na cidade grande, tantas vezes precisando se acomodar em apartamentos não muito espaçosos. Não custa tentar, porém, manter alguns vasinhos com temperos frescos, que estejam sempre à mão. Quem sabe este não seja o primeiro passo para grandes mudanças em seu estilo de vida?

A verdade é que, quando passamos a dar mais atenção ao que consumimos, quando buscamos nos alimentos sabores e frescor tantas vezes perdidos ao longo dos anos, quando nos damos conta do excesso de produtos industrializados que estamos ingerindo e decidimos mudar esse quadro, logo nosso organismo responde de modo positivo. Sentimos maior vitalidade no corpo, a mente mais sagaz. Ir ao supermercado adquire então outro sentido, surgem novas e estimulantes escolhas. As prateleiras coloridas, ardilosamente montadas para atrair nosso olhar de consumidor, já não serão tão atraentes. Quando você sabe o que procura, não se deixa impressionar pela falsa beleza de embalagens. O momento de preparo da comida adquire também um novo significado. Ao se entregar à tarefa com amor e gratidão, você impregnará o alimento com uma energia de cura.

Nesse novo quadro que se delineia, certos ingredientes conquistam um lugar de destaque. Para a Ayurveda, ervas, especiarias e sementes são presentes sagrados da mãe natureza: vibrantes, energéticas, nutritivas e especialmente mágicas. Além de estimular o paladar, provocar diferentes sensações na boca, no corpo e na mente, elas ainda têm a capacidade de dar um encanto todo especial aos pratos, com suas cores e aromas surpreendentes. Para completar, tornam os alimentos mais fáceis de digerir e nutrem nosso corpo com mais rapidez e precisão. Por isso, a Ayurveda utiliza várias especiarias, procurando tirar o máximo proveito dessas bênçãos da natureza. Cominho, coentro, gengibre, assa-fétida, pimenta, cardamomo, açafrão e feno-grego estão entre as mais usadas. Muitas são encontradas facilmente em qualquer mercado; outras, mais específicas, apenas em lojas especializadas.

Nas receitas deste livro, procurei utilizar as especiarias mais comuns e fáceis de serem encontradas em nosso dia a dia. Mesmo que você não se interesse muito por culinária ou não tenha tempo para se dedicar a ela, vale a pena conhecer melhor as especiarias e saber os benefícios que cada uma delas pode trazer para o organismo. Assim, você poderá usá-las, adicionando-as aos alimentos já cozidos, como sopas, saladas e pratos quentes. Além de fazer bem, ainda darão um toque todo especial à comida, intensificando sabores.

Há muitas maneiras de utilizar as especiarias. Podemos adicionar uma só a determinado prato, ou preparar misturas combinando várias delas. Na Ayurveda, usamos as *masalas*, sábias combinações dos temperos, capazes de equilibrar os *doshas* e consequentemente manter a saúde estável.

Não há dúvida de que as especiarias podem transformar uma refeição, tornando-a mais adequada às necessidades do momento. Se você sofre com indigestão, por exemplo, experimente adicionar um pouco de gengibre fresco a uma sopa e logo se sentirá melhor. Se num determinado dia acorda especialmente cansado, alguns goles de chá também de gengibre com capim-limão vão energizar e refrescar seu corpo. Assim, os mais variados problemas do dia a dia podem se resolver com a ajuda de alguma erva ou tempero. Um corte superficial no dedo que não quer cicatrizar pode fechar, em segundos, com uma simples pitada de açafrão. Gases intestinais podem ser aliviados com um chá de erva-doce, enquanto uma dor de estômago, por abuso de pimenta ou álcool, pode ser amenizada rapidamente com um chá de alcaçuz.

São muitos os benefícios que as especiarias podem trazer para nossa vida. São recursos simples, acessíveis, de efeito rápido. E o melhor: não pesam no orçamento doméstico, pois são bem em conta. O importante é saber usá-las.

A Ayurveda nos oferece uma visão mais pessoal sobre o emprego das ervas, ajudando-nos a escolher as mais adequadas para nossa constituição ou *dosha*. Com isso, as refeições tornam-se não só mais saborosas, como também mais saudáveis e com poderes curativos. É esta a mágica proposta da alimentação ayurvédica.

Cúrcuma *(Curcuma longa)*

Sabores: amargo, levemente picante e adstringente

Ideal para *Kapha* 🌳

Pode agravar *Pitta* 💧 e *Kapha* 🌳 em excesso

Também conhecida como açafrão-da-índia, açafrão, açafrão-da-terra, açafrão de raiz e falso-açafrão, é a raiz de uma planta da família do gengibre. Muitos a confundem com o verdadeiro açafrão. É utilizada em pó em várias receitas indianas.

Tem propriedades estimulantes, antissépticas e analgésicas. Sua capacidade de reduzir tecidos e excesso de amido dos alimentos a torna um elemento quase diário na alimentação ayurvédica. Grande estimulante digestivo, ao mesmo tempo limpa os tecidos sobrecarregados por má alimentação. Por isso, é considerada uma excelente coadjuvante na prevenção de patologias de acumulação de tecidos, como o câncer.

Além da culinária: pode ser aplicada externamente em feridas, ajudando bastante no processo de cicatrização.

Assa-fétida *(Ferula assafoetida)*

Sabores: amargo e picante

Ideal para *Vata* 🍃 e *Kapha* 🌳

Resina muito utilizada na Índia, é ralada e misturada à farinha de arroz. Apesar do aroma desagradável e forte, quando adicionada ao óleo fervente adquire um sabor refinado, semelhante ao de trufas. Empregada com parcimônia, é excelente antídoto contra os gases provocados por feijões e lentilhas.

É estimulante, carminativa (reduz gases) e antiespasmódica (alivia espasmos e cólicas).

Coentro (*Coriandrum sativum*)
Sabores: picante e amargo (sementes)
Ideal para *Pitta* 💧 e *Kapha* 🌳
Pode agravar *Vata* 🍃 em excesso

Bastante utilizadas pela culinária indiana, as sementes de coentro têm sabor e propriedades bem distintas daquelas apresentadas pelo caule e folhas frescas. Seu sabor é bem forte, enquanto o do coentro fresco é mais suave. Com propriedade estimulante e diurética, tem um efeito refrescante, e por isso deve ser evitada por pessoas muito *Vata*. No caso de receitas muito picantes, seu consumo é recomendado, já que servirá como estimulante na assimilação dos nutrientes e evitará a sensação de queimação, excesso de calor e transpiração.

Cravo-da-índia (*Syzygium aromaticum*)
Sabor: levemente picante
Ideal para *Vata* 🍃 e *Kapha* 🌳

Especiaria muito popular, tem efeito estimulante, expectorante, descongestionante, analgésico e afrodisíaco. Seu forte aroma enriquece muitos preparados, sendo utilizado nas *masalas*, em pratos doces e salgados.

Feno-grego (*Trigonella foenum-graecum*)

Sabores: amargo, picante e doce

Ideal para *Vata* 🌿 e *Kapha* 🌳

É uma especiaria muito utilizada desde a Antiguidade. Quando torradas antes de moer, suas sementes exalam um perfume bem condimentado. Muito frequente na culinária indiana, seus grãos, depois de tostados, são usados no cozimento de legumes, lentilhas e arroz. Excelente tônico reconstituinte do sistema nervoso, renovador do sangue e do sistema imunológico, é ainda regulador hormonal, ajudando a formar o leite materno e a manter a firmeza dos ossos.

Erva-doce (*Pimpinella anisum*)

Sabores: levemente picante e doce

Ideal para *Vata* 🌿 e *Pitta* 💧 e *Kapha* 🌳

Em todos os restaurantes indianos, é oferecida aos clientes após a refeição. Sua ingestão facilita a digestão, alivia a flatulência e as cólicas intestinais, acalma a excitação nervosa e a insônia. A erva-doce fresca (funcho) é muito utilizada na culinária indiana para preparar o *lassi*, uma bebida digestiva e refrescante.

Mostarda (*Sinapis alba*)

Sabor: picante

Ideal para *Vata* 🌿 e *Kapha* 🌳

Suas sementes podem ser brancas, pretas ou castanhas. Estas últimas apresentam sabor mais picante e são muito usadas na culinária ayurvédica. Estimula o *agni* e, portanto, ajuda a digestão de comidas pesadas como queijos ou peixes.

Noz-moscada (*Myristica fragrans*)

Sabor: picante

Ideal para *Vata* e *Kapha*

Seu sabor peculiar lembra uma mistura de pimenta-do-reino com canela, embora mais sutil e aromática. Bastante versátil, é largamente usada na culinária, como ingrediente tanto de pratos doces como salgados, dando um toque todo especial a biscoitos, tortas e pudins. Apresenta vários efeitos terapêuticos: é estimulante, carminativa, adstringente e nervina (ajuda a acalmar os nervos).

Além da culinária: é ótima para casos de insônia.

Pimenta-de-caiena (*Capsicum frutescens*)

Sabor: picante

Ideal para *Vata* e *Kapha*

É a melhor especiaria para digerir as toxinas (*ama*) acumuladas no estômago e intestino. Bom antídoto para os efeitos da comida crua, é benéfica para constipações, gripes e congestão, além de ajudar na digestão da gordura.

Pimenta-do-reino (*Piper nigrum*)

Sabor: picante

Ideal para *Kapha*

Ótima para digerir toxinas. Ajuda na digestão da gordura e no tratamento da obesidade. Ingerida com mel envelhecido no período da manhã, auxilia na diminuição do excesso de *Kapha* no organismo.

Cominho (*Cuminum cyminum*)
Sabores: levemente picante e ligeiramente amargo
Ideal para *Vata* 🌳 e *Pitta* 🔥 e *Kapha* 🌿

Suas sementes têm um sabor levemente picante, podendo ser usadas inteiras ou moídas. Esta especiaria combate os gases e ajuda na digestão, principalmente quando se comeu em excesso. Muito utilizada na culinária, ajuda a combater os efeitos de comidas pesadas como os feijões, batatas, queijo ou iogurte. Também é eficaz para diminuir os efeitos da acidez do tomate. É estimulante, carminativa, diurética, galactagoga (formadora de leite materno).

Canela (*Cinnamomum zeylanicum*)
Sabores: picante, adstringente e doce
Ideal para *Vata* 🌳 e *Kapha* 🌿

É estimulante, sudorífera, diurética, expectorante, adstringente e analgésica. É utilizada principalmente como antídoto ao açúcar e aos frutos. Vai muito bem com maçãs e peras.

Além da culinária: pode ser utilizada em resfriados, após cozimento com gengibre.

Cardamomo *(Elettaria cardamomum)*

Sabores: doce e picante

Ideal para *Vata* e *Kapha*

Pode agravar *Pitta* em excesso

Suas sementes esverdeadas contêm pequenos grãos escuros de aroma forte e doce que devem ser moídos antes do uso. Tem ação carminativa, expectorante e digestiva, além de ajudar na absorção de nutrientes. É bastante usado com leite, pois reduz a formação de muco no organismo. É excelente antídoto aos efeitos de indigestão causada por banana, bem como ao excesso de estímulo provocado por café e chocolate.

Mastigar suas sementes após as refeições ajuda a remover o sabor forte de algumas substâncias, como alho e cebola, refrescando e melhorando o hálito.

Gengibre *(Zingiber officinale)*

Sabores: picante e doce

Ideal para *Vata* e *Kapha*

Em pó, por ser mais picante, pode agravar *Vata* e *Pitta*.

Seco, ralado, moído ou fresco, o gengibre é um ingrediente picante, amplamente utilizado em pratos indianos, orientais e na cozinha inglesa.

Conhecido como o remédio universal, é terminantemente proibido em casos de hemorragia, enfermidades da pele e febre. Alivia o inchaço e a distensão abdominal provocados por gases e é o recurso supremo para digerir toxinas. Antes das refeições, podem-se consumir pequenos pedaços de gengibre fresco com sal e limão para limpar a língua, aumentar o apetite e melhorar a digestão.

Além da culinária: administrado com mel ou misturado com pimenta-do-reino, é excelente para expectoração. O suco de gengibre fresco com suco de limão e mel é indicado para tosse seca, faringite, bronquite, náusea e vômito.

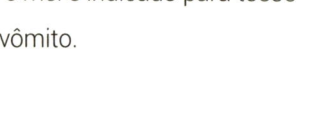

Óleos

São fontes de ácidos graxos essenciais, vitamina E e energia. Devem ser consumidos com moderação, porém todos os dias. Os óleos vegetais são a principal fonte de gorduras saudáveis na dieta. A escolha correta é muito importante e deve ser feita com bastante cuidado. Para a Ayurveda, devem-se priorizar os óleos vegetais "bons", ou seja, de prensagem a frio, primeira prensagem ou extravirgem. O consumo de óleos refinados por meio de processos químicos deve ser evitado: as gorduras trans ou gorduras ruins devem ser eliminadas da dieta, pois criam resíduos na corrente sanguínea, podendo contribuir para problemas coronarianos.

Os óleos não devem ser reaproveitados, pois se tornam difíceis de digerir e prejudicam o funcionamento dos órgãos. Também se deve evitar a ingestão de gorduras hidrogenadas que, para a Ayurveda, são a causa de diversas doenças. Procure não utilizar óleos diferentes no preparo de um mesmo alimento, pois eles reagem de forma distinta à temperatura.

Os óleos podem ser usados não só na alimentação, mas também em massagens. Assim como os alimentos, atuam de forma diferente sobre cada *dosha*.

Óleo de coco — Excelente para pessoas do tipo *Pitta* 🔥

Tem ótima fragrância, é rico em nutrientes e muito refrescante. O óleo de coco extravirgem é o único óleo vegetal que apresenta alta concentração de ácido láurico, mesma substância encontrada no leite materno e que fortalece o sistema imunológico. O consumo regular do ácido láurico protege o corpo de bactérias, vírus, fungos e protozoários, ajudando a regularizar as funções intestinais. Pode ser usado em altas temperaturas.

Azeite de oliva — Diminui *Vata*, *Pitta* 🔥 e aumenta *Kapha* 🌿

Tem propriedades antissépticas e estimulantes. É refrescante e levemente adocicado. Melhor utilizá-lo em saladas, sopas e molhos.

Óleo de gergelim — Equilibra *Vata*

É um óleo extremamente quente e com odor forte. Muito nutritivo, protege a pele *Vata*. Deve ser usado somente na forma natural e de primeira prensagem. Pode ser encontrado em lojas de produtos árabes e naturais. Contém antioxidantes naturais.

Óleo de girassol — É o ideal para *Pitta* 🔥

Tem sabor adocicado e é muito nutritivo. Pode ser utilizado em altas temperaturas desde que seja primeira prensagem. Não utilizar quando for refinado.

Óleo de linhaça — Bom para *Vata* 💨 e *Kapha* 🌿, mas agrava *Pitta* 🔥

Apresenta grande concentração de ômega-3. Pode ser usado em saladas e molhos. Não deve ser esquentado.

Óleo de amêndoas — Bom para *Vata* 💨

De aroma doce e agradável, sabor fino e delicado, é muito nutritivo. Não deve ser usado para preparar alimentos no fogo, mas sim para temperar saladas e misturas que não sejam aquecidas.

Parte II

Entendendo as receitas

Cozinhar é um processo que vai transformar as moléculas do alimento em elementos dos tecidos de nosso corpo. Ossos, músculos, pele, entre outros componentes do nosso organismo, serão moldados de acordo com o que lhes for oferecido. Os vegetais e animais que ingerimos também possuem células que serão desmontadas para serem remontadas por nosso organismo. Algumas destas células alimentares devem ser dissolvidas pelo aquecimento; outras têm de ser misturadas com certas ervas para preservarem suas substâncias nutritivas, ao mesmo tempo que deixam seus invólucros se desfazerem gentilmente.

Sendo assim, devemos dedicar todo carinho e atenção à escolha do preparo adequado a cada tipo de alimento ou tempero. Ao preparar uma refeição, você se torna responsável por contribuir para a saúde e bem-estar de todas as pessoas que vão consumi-la. Portanto, entender a natureza de cada um — seus desequilíbrios e reações a certas substâncias e sabores — fará grande diferença na saúde física, mental e espiritual das pessoas que nos rodeiam.

Depois de cinco horas de preparados, os alimentos já perderam muitas de suas propriedades nutricionais e terapêuticas, dando bastante trabalho ao organismo separar o que ainda pode ser aproveitado do que já está em processo de deterioração. Assim, enquanto nossos órgãos se esforçam para absorver as partículas nutritivas, vamos sendo também intoxicados. Portanto, prepare sempre a quantidade de alimentos suficiente para o número de pessoas que vai consumir, evitando desperdícios.

Há uma ordem adequada para se retirar o melhor de cada condimento na hora do preparo a fim de despertar suas funções terapêuticas, que é o objetivo da Ayurveda: coloque primeiro na panela o óleo ou *ghee* que será utilizado; quando estiver levemente aquecido, acrescente as especiarias em grãos (como mostarda, cominho ou feno-grego). Quando elas começarem a pular ou formar uma espuma, adicione os temperos em pó, mexendo rapidamente; quase ao mesmo tempo, coloque as especiarias frescas (como gengibre, pimentão, alho, cebola, alho-poró); refogue bem até dourar e, em seguida, junte os demais ingredientes do preparo. Caso a receita não leve tempero em grãos, comece com as especiarias frescas e só depois acrescente os pós. Se você deixar os temperos em pó por mais de um minuto no óleo quente, eles irão amargar a comida, já que estarão queimados.

O preparo e os *doshas*

As formas de preparação do alimento também podem equilibrar os *doshas*. Ferver equilibra *Vata*; cozinhar a vapor pacifica *Pitta*; torrar os cereais antes de cozê-los reduz *Kapha*, bem como torrar pães e gratinar alimentos no forno. A refeição para *Vata* deve seguir um preparo que resulte num alimento rico em molhos e de consistência macia. *Pitta, al dente* e moderadamente ressecados. *Kapha* ficará mais satisfeito com alimentos crocantes e mais desidratados ou suavemente tostados no preparo final. Outras recomendações:

- Atenção para escolha dos utensílios de cozinha: as melhores opções de panela são as de aço inox, vidro, ferro ou pedra.
- Vegetais devem ser cozidos até ficarem macios, mas, como regra geral, evite deixá-los desmanchar.
- Guarde grãos e cereais em local escuro, seco, arejado, livre de insetos e roedores. Mesmo os pequenos insetos podem alterar o sabor do grão quando visitam nossas despensas.
- Nunca misture água fervente com mel, como também nunca esquente o mel.
- Evite misturar alimentos extremamente secos com outros oleosos, como ocorre no preparo de certas farofas. É algo que dificulta a digestão, pois forma uma combinação de difícil desagregação para o organismo.
- Evite colocar ervas e chá fervidos em utensílios utilizados para preparo de peixes.
- Usar mais de um tipo de óleo (*ghee* e azeite, por exemplo) numa mesma receita confunde o organismo, dificultando a escolha das enzimas a serem empregadas pelo corpo.
- Evite misturar folhas verdes e leite.
- Evite misturar leite com produtos que contenham milho, como cereais de caixinha, muito comuns no café da manhã.
- Não use cúrcuma e óleo de mostarda no mesmo preparo.

Tabelas de alimentos

Conhecer nossa constituição, ter consciência de algum desequilíbrio que nos prejudique, é o primeiro passo para fazermos escolhas sensatas. Que alimentos devemos consumir a cada refeição? Que rotina devemos seguir, qual a atividade física ideal para nosso equilíbrio? Como somos seres em constante transformação, suscetíveis a influências diversas, precisamos estar atentos a estas questões, precisamos dar ouvidos a nossas necessidades mais íntimas. Do contrário, nosso *dosha* pode se desequilibrar e gerar desconfortos e patologias.

O objetivo primordial da Ayurveda é a prevenção. Logo, neste livro, não tenho a intenção de apontar tratamentos para doenças ou desequilíbrios, mas sim mostrar que é possível, com alguns cuidados, manter corpo e mente em estado de equilíbrio. Como vimos mostrando até aqui, cada *dosha* tem suas próprias características, e é importante conhecê-las. Dependendo do seu biótipo, certos alimentos e hábitos serão mais ou menos importantes para sua saúde. Vale então seguir as recomendações específicas para cada *dosha*.

Nos capítulos anteriores, já destacamos o importante papel que os alimentos representam para nosso equilíbrio, pois, além de nos afetarem organicamente, têm a capacidade de agir sobre nosso humor. Um alimento é capaz de nos acalmar, nos agitar ou até nos deixar numa profunda letargia.

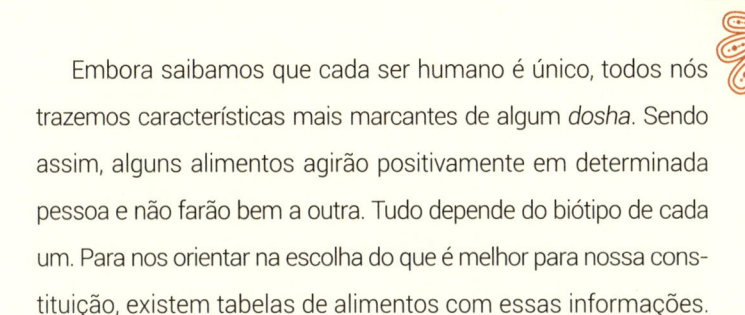

Embora saibamos que cada ser humano é único, todos nós trazemos características mais marcantes de algum *dosha*. Sendo assim, alguns alimentos agirão positivamente em determinada pessoa e não farão bem a outra. Tudo depende do biótipo de cada um. Para nos orientar na escolha do que é melhor para nossa constituição, existem tabelas de alimentos com essas informações.

A tabela que apresentamos aqui se baseia na do livro *Ayurveda – a ciência da autocura*, do dr. Vasant Lad. A partir dela, fiz ajustes e complementações, já que alguns alimentos muito utilizados na culinária brasileira não existiam na tabela original.

Antes de buscar informações sobre cada alimento, é bom entender alguns conceitos da Ayurveda e conhecer algumas dicas gerais para complementar o equilíbrio dos *doshas*.

Na Ayurveda, partimos da premissa de que semelhante aumenta semelhante (*Samanya*) e oposto reduz oposto (*Visesha*). Logo:

- Um alimento seco reduz a água corporal, agravando *Vata* que já possui pele seca, cabelo seco, corpo ressecado.
- Uma especiaria picante (pimenta, por exemplo) aquece o organismo, portanto aumenta *Pitta*, que já é quente.
- Um alimento picante como pimenta estimula o corpo que está sob efeito sedativo do consumo de doces.
- Uma emoção fria como o medo pode ser tratada com uma emoção quente, como a alegria.

Portanto, tomando cada *dosha* e seus contrários, já que oposto reduz seu oposto, para se chegar ao equilíbrio é preciso considerar que:

- O *Vata* tem características frias, leves e secas que serão tratadas com substâncias quentes, pesadas e oleosas.
- O *Pitta* tem características quentes, intensas e penetrantes e deve escolher alimentos frios, leves e um tanto secos.
- O *Kapha* possui aspectos pesados, úmidos, macios que serão tratados com substâncias secas, leves, mornas e picantes.

Pessoas do tipo *Vata*

Priorizar sabores: salgado, ácido e doce.

Evitar: consumo excessivo de alimentos amargos, picantes e adstringentes. Bebidas geladas, alimentos crus ou malcozidos. Ingestão e consumo de substâncias estimulantes como café, chocolate, cigarros, guaraná e mate.

- Optar por comidas quentes, com molhos, mais oleosas e pesadas.
- Fazer de três a quatro refeições diárias.
- Consumir um bom café da manhã.
- Sentar-se para comer.
- Usar especiarias como gengibre, canela, cravo, páprica e assa-fétida para melhorar a digestão.

Outros hábitos para manter **Vata** equilibrado:

- Seguir uma rotina regular.
- Rezar e meditar diariamente.
- Dormir antes das 22h30.
- Fazer exercícios suaves como yoga, tai chi, caminhadas leves, natação.

- Ouvir músicas calmas e relaxantes.
- Dar risadas e sorrir.
- Massagear o corpo com óleo de gergelim diariamente.
- Tomar banho morno.
- Usar roupas quentes.
- Tomar banho de sol regularmente.
- Evitar música alta, barulho, viagens, locais frios, agitação e excesso de uso de computadores e telefones.

Pessoas do tipo *Pitta*

Priorizar sabores: doce, amargo e adstringente.

Evitar: álcool, açúcar branco, cigarro e café. Alimentos picantes, salgados e/ou ácidos.

- Preferir comidas com características secas, leves e refrescantes.
- Fazer três refeições regulares, sem excessos.
- Consumir alimentos que vão suprir a fome, pois sua digestão é muito intensa.

Outros hábitos para manter *Pitta* equilibrado:

- Fazer as refeições em um ambiente bem tranquilo.
- Massagear o corpo com óleo de coco para refrescar.
- Fazer atividades físicas regulares, em contato com a natureza.
- Evitar expor-se ao sol excessivamente.
- Evitar situações, trabalhos e esportes que envolvam competição.

Pessoas do tipo *Kapha* 🌳

Priorizar sabores: amargo, adstringente e picante.

Evitar: consumo excessivo de comidas.

- Preferir substâncias mornas, secas e leves.
- Fazer refeições em horários definidos, evitando beliscar nos intervalos.
- Permitir-se sentir fome.
- Tomar um café da manhã bem leve ou até mesmo evitá-lo.
- Beber somente líquidos mornos.
- Evitar o consumo de açúcar branco e mesmo do açúcar demerara, bem como de bolos, molhos e cremes.

Outros hábitos para manter *Kapha* equilibrado:

- Deitar cedo e acordar sempre ao nascer do sol.
- Não dormir à tarde, nem cedo demais. Restringir-se a oito horas diárias de sono.
- Fazer atividades físicas como corrida, escalada, práticas de yoga mais vigorosas.
- Permitir-se sair da rotina e buscar novidades.

Dieta para Redução de *Vata*

FRUTAS

Ideal: abacate, abacaxi (doce), açaí (não congelado), acerola, ameixa, banana, cereja, coco, figo, framboesa, jaca, kiwi,

laranja-lima, laranja-pera, limão, mamão, manga, maracujá, melão (doce), morango, pêssego, tâmara, tamarindo, uva.
Moderado: amora, caju, damasco, jabuticaba, lima-da-pérsia, pitanga, tangerina, frutas secas cozidas.
Evitar: cajá, caqui, maçã, melancia, pera, romã e frutas secas.

VEGETAIS E LEGUMES

Ideal: abóbora, abobrinha, alcachofra, algas, alho-poró, aspargos, azeitonas, batata-baroa, batata-doce, beterraba, cebola cozida, cenoura, folhas de mostarda, inhame, nirá, quiabo, vagem.
Moderado: agrião, aipim, alface, bertalha, brotos, brócolis, cará, espinafre, folhas de beterraba, milho fresco, nabo, pepino, pimentão vermelho, rabanete, rúcula, salsa, tomate.
Evitar: acelga, aipo, batata-inglesa, berinjela, cebola crua, chicória, coentro, cogumelos, couve, couve-de-bruxelas, couve-flor, endívia, ervilha, jiló, maxixe, pimentão verde e amarelo, repolho.

GRÃOS

Ideal: arroz basmati ou *thai*, aveia (cozida), farinha de arroz, gérmen de trigo, trigo integral, arroz integral, quinoa.
Moderado: amaranto, aveia seca, cevada, cuscuz, flocos de arroz, macarrão de arroz, macarrão integral, tapioca, trigo-sarraceno.
Evitar: arroz sete grãos, canjiquinha, centeio, farinha de mandioca, farinha de milho, flocos de milho, fubá, granola, sagu.

FEIJÕES

Ideal: feijão moyashi.
Moderado: feijão-azuqui, lentilha rosa, lentilha verde, tofu.
Evitar: ervilha partida, favas, feijões em geral, grão-de-bico, lentilha marrom, soja.

LATICÍNIOS

Ideal: iogurte natural, *ghee*, leite, manteiga, queijo cottage, queijo de minas fresco, ricota temperada.
Moderado: *kefir*, leite de cabra, queijo de cabra.
Evitar: creme de leite, leite em pó, queijo curado, queijo de minas meia cura e padrão, ricota defumada, sorvete.

NOZES E SEMENTES

Ideal: amêndoa, castanha de caju, castanha-do-pará, castanha portuguesa, nozes, gergelim, linhaça, macadâmia, pinhão, pistache.
Moderado: semente de girassol e de abóbora.
Evitar: amendoim.

ÓLEOS

Ideal: algodão, amêndoa (não esquentar), arroz, castanha-do-pará (não esquentar), *ghee*, gergelim, linhaça, mostarda, uva.
Moderado: coco, girassol, oliva.
Evitar: canola, milho, soja.

PRODUTOS ANIMAIS

Ideal: ovo caipira, ovo de pata, peixe de água salgada, peixe de água doce.
Moderado: frango, frutos do mar, ovo branco, peru.
Evitar: carne vermelha, cordeiro, javali, lebre, pato, porco.

ADOÇANTES

Ideal: açúcar demerara, açúcar mascavo, mel cristalizado, melado, garapa, suco de cana, rapadura.
Moderado: açúcar cristal, malte, mel novo, stévia.
Evitar: açúcar refinado, adoçantes artificiais, frutose.

MOLHOS E CONDIMENTOS

Ideal: *chutney*, coco ralado, picles, *ghee*, gersal, leite de coco, molho de gengibre, raiz-forte, sal marinho, *tahine*.
Moderado: água de rosas, baunilha em fava, gengibre seco, molhos de iogurte temperado e de pimenta.
Evitar: alho cru, cebola crua, ketchup, maionese, molhos com conservantes, *shoyu*, vinagre.

TEMPEROS

Ideal: açafrão, alecrim, anis-estrelado, assa-fétida, canela, cardamomo, coentro em semente, cominho, cravo, erva-doce, gengibre, hortelã, louro, manjericão, noz-moscada, orégano, papoula, páprica picante, pimenta-de-caiena,

pimenta-de-cheiro, pimenta rosa, tomilho, salsa, semente de mostarda.
Moderado: alho, cúrcuma, feno-grego, menta, pimenta calabresa, pimenta dedo de moça.
Evitar: coentro fresco, colorau, pimenta-do-reino, pimenta-malagueta, tabletes de legumes, carne ou frango.

BEBIDAS

Ideal: leite com alfarroba, leite de coco, leite quente, suco de frutas ideais, *tchai* com leite.
Moderado: água de coco, café com leite, suco de ameixa, suco de figo, vinho tinto.
Evitar: água com gás, bebidas alcoólicas em geral, chocolate ou cacau em pó com leite, guaraná natural, refrigerante, suco de maçã, suco de romã, suco de tomate.

CHÁS

Ideal: alcaçuz, alecrim, angélica, camomila, canela, capim-limão, cardamomo, casca de laranja, centelha asiática, chicória, confrey, cravo, erva-doce, gengibre, hortelã, manjericão, poejo, rosas, salsa parrilha, sálvia, *tchai* com leite.
Moderado: crisântemo, hibisco, jasmim, louro, maracujá, morango, pfáfia, *tchai* sem leite.
Evitar: banchá, branco, cabelo de milho, carqueja, dente-de-leão, erva-mate, *ginseng*, mate, preto, romã, ruibarbo, sene, verde.

Dieta para Redução de *Pitta*

FRUTAS

Ideal: abacaxi (doce), ameixa, ameixa seca, amora, caqui, coco-verde, damasco, figo, laranja-lima, maçã, melancia, melão, pera, romã, tâmara, uva (doce), uva-passa, banana.
Moderado: abacate, cereja, framboesa, laranja-seleta, lima-da-pérsia, limão, mamão, maracujá, morango.
Evitar: abacaxi (ácido), kiwi, laranja-pera, maçã (ácida), manga, pêssego, tamarindo, toranja, uva verde.

VEGETAIS

Ideal: abobrinha, aipo, alcachofra, alface, almeirão, aspargos, brócolis, brotos (girassol, alfafa, rabanete, trevo), chicória, chuchu, coentro fresco, couve, couve-de-bruxelas, couve-flor, endívia, ervilha fresca, inhame, jiló, maxixe, pepino, quiabo, vagem, *radicchio*, repolho.
Moderado: abóbora, agrião, algas, alho-poró, azeitona verde, batata-baroa, batata-doce, batata-inglesa, broto de bambu, cenoura, cogumelos, escarola, espinafre, folha de beterraba, folha de mostarda, milho-verde, nabo, rúcula, salsa.
Evitar: aipim, alho, azeitona preta, berinjela, beterraba, cebola, pimentão, pimentas, rabanete, tomate.

GRÃOS

Ideal: amaranto, arroz basmati ou *thai*, aveia cozida, cevada,

cuscuz marroquino, gérmen de trigo, granola, macarrão integral, macarrão de sêmola, semolina, trigo integral.
Moderado: arroz integral ou sete grãos, aveia seca, centeio, flocos de arroz, quinoa.
Evitar: cuscuz de milho, farinha de mandioca, farinha de milho, flocos de milho, soja, trigo-sarraceno.

FEIJÕES

Ideal: azuqui, feijão-marrom, feijão-verde, feijão-vermelho, grão-de-bico, *moyashi*, lentilha marrom, lentilha verde, soja em grão.
Moderado: ervilha partida, lentilha rosa, tofu.
Evitar: feijão-preto, missou, tremoço.

LATICÍNIOS

Ideal: cottage, *ghee*, *lassi*, leite, leite de cabra, manteiga sem sal, queijo de cabra, queijo de minas fresco, ricota.
Moderado: iogurte, *kefir*.
Evitar: creme ácido, creme de leite, manteiga com sal, queijos amarelos, queijo de minas meia cura, queijo de minas padrão, sorvete.

NOZES E SEMENTES

Ideal: abóbora, coco, girassol.
Evitar: amêndoa, amendoim, castanha de caju, castanha-do-pará, castanha portuguesa, gergelim, macadâmia, nozes, nozes-pecã, pinhão, pinoli, pistache.

ÓLEOS

Ideal: algodão, coco, *ghee*, girassol, oliva.
Moderado: manteiga, arroz, uva.
Evitar: amêndoa, amendoim, canola, castanha-do-pará, gergelim, milho, mostarda, nozes, soja.

PRODUTOS ANIMAIS

Ideal: coelho, frango orgânico, ovo branco, peixe de água doce, peru branco.
Moderado: ovo caipira.
Evitar: cabra, carne vermelha, chester, cordeiro, frutos do mar, pato, peixe de água salgada, porco.

ADOÇANTES

Ideal: açúcar demerara, cana-de-açúcar, frutose, garapa, malte, rapadura, stévia.
Moderado: açúcar cristal, açúcar mascavo, mel.
Evitar: açúcar refinado, adoçantes artificiais, mel cristalizado, melado.

MOLHOS E CONDIMENTOS

Ideal: água de rosas, baunilha em fava, *chutney* de manga, *chutney* de hortelã ou coco, coentro fresco, leite de coco, menta, rabanete.
Moderado: casca de laranja, extrato de amêndoa, gengibre fresco, manjericão, picles, sal, vinagre.

Evitar: alho, gengibre seco, ketchup, molho de pimenta, mostarda, raiz-forte, *shoyu*.

TEMPEROS

Ideal: açafrão, açafrão-da-terra, coentro, cominho, erva-doce, funcho, hortelã, menta.

Moderado: canela, cardamomo, cebolinha, cravo, salsinha, louro, mostarda em grãos, noz-moscada, papoula, pimenta-de-cheiro, pimenta rosa.

Evitar: alecrim, alho, anis-estrelado, assa-fétida, cebola, feno-grego, gengibre seco, orégano, páprica picante, pimenta-de-caiena, pimentas em geral, tamarindo, tomilho.

BEBIDAS

Ideal: água de rosas, clorofila, *lassi*, suco de frutas ideais, suco de vegetais.

Moderado: cerveja sem álcool, leite de amêndoas, sucos de cenoura, laranja ou uva.

Evitar: bebidas alcoólicas, café, chocolate, guaraná natural, leite de soja, mate, sucos de frutas ácidas ou de tomate, refrigerante.

CHÁS

Ideal: camomila, capim-limão, cavalinha, chás amargos, chicória, coentro, confrey, dente-de-leão, erva-doce, flores, folhas de amora ou framboesa, frutas, hibisco, jasmim, maracujá, menta, rosas.

Moderado: amora, banchá, cardamomo, chá-branco, chá-verde, hortelã, morango.
Evitar: alecrim, canela, chá-preto, chimarrão, cravo, gengibre, *ginseng*, manjericão, mate, poejo.

Dieta para redução de *Kapha*

FRUTAS

Ideal: amora, cereja, damasco, framboesa, frutas secas (uva-passa, figo, damasco, banana-passa), maçã, pera, pêssego, romã.
Moderado: ameixa fresca, goiaba, kiwi, lima-da-pérsia, limão, mamão, manga, morango, tamarindo, tangerina, *toranja*, uva.
Evitar: abacate, abacaxi, banana, caqui, coco, figo fresco, laranja, lima, melancia, melão, tâmara.

VEGETAIS

Ideal: agrião, aipo, alface, alho-poró, aspargo, berinjela, brócolis, brotos, cebola, cenoura, coentro fresco, cogumelo, couve, couve chinesa, couve-de-bruxelas, couve-flor, ervilha fresca, espinafre, folha de mostarda, jiló, milho-verde, nabo, pimentão, pimentas, quiabo, rabanete, repolho, rúcula, vagem.
Moderado: alcachofra, batata, beterraba, milho fresco, salsa, tomate.
Evitar: abóbora, abobrinha, algas, azeitona, batata-doce, cará, mandioca, pepino.

GRÃOS

Ideal: cevada, farinha de milho, granola.
Moderado: amaranto, arroz basmati ou integral, centeio, painço, trigo-sarraceno.
Evitar: arroz branco ou sete grãos, aveia, farinha de arroz, trigo.

FEIJÕES

Ideal: azuqui, ervilha partida, feijões em geral, grão-de-bico, lentilhas.
Moderado: *moyashi*, tofu.
Evitar: favas, soja.

LATICÍNIOS

Ideal: *ghee*.
Moderado: cottage, *kefir*, leite de cabra, leite de soja.
Evitar: creme ácido, iogurte, *lassi*, leite de vaca, manteiga, queijos (todos), sorvete.

NOZES E SEMENTES

Ideal: nenhuma.
Moderado: abóbora, girassol.

ÓLEOS

Ideal: nenhum.
Moderado: canola, girassol, *ghee*, milho, mostarda.

PRODUTOS ANIMAIS

Ideal: nenhum.
Moderado: coelho, frango, peixes de água doce, peru.

ADOÇANTES

Ideal: mel silvestre.
Moderado: garapa, stévia.
Evitar: açúcar cristal, açúcar demerara, açúcar mascavo, cana-de-açúcar, frutose, malte, melado, rapadura.

MOLHOS E CONDIMENTOS

Ideal: molhos de pimenta.
Moderado: *ghee*, mostarda.
Evitar: gersal, ketchup, maionese, picles, queijo ralado, *shoyu*, *tahine*.

TEMPEROS

Ideal: alecrim, alho, anis, assa-fétida, canela, cardamomo, cebola, cebolinha, cominho, cravo, cúrcuma, endro, gengibre seco, louro, manjericão, manjerona, orégano, páprica picante, pimentas (todas), salsa, semente de mostarda, tomilho.
Moderado: coentro, coentro fresco, erva-doce, funcho, hortelã, noz-moscada.
Evitar: tamarindo.

BEBIDAS

Ideal: chá-preto, *chai*, leite de soja, sucos de aloé vera, cenoura, pêssego, romã ou uva.
Moderado: café, suco de abacaxi.
Evitar: água fria, álcool em excesso, chocolate, clorofila, limonada, refrigerante, sucos ácidos, sucos de mamão ou tomate, vitaminas com frutas.

CHÁS

Ideal: alfafa, banchá, cabelo de milho, canela, *chai*, chicória, cravo, dente-de-leão, erva-mate, gengibre, hibisco, hortelã, manjericão, menta, poejo, quebra-pedra, rosas, sálvia.
Moderado: camomila, confrey, erva-doce, *ginseng*, lótus, salsaparrilha.
Evitar: alcaçuz, malva, pfáfia.

Cardápios

Para fazer a escolha do seu cardápio ideal, alguns pontos importantes devem ser levados em consideração: alimentos favoráveis a seu *dosha* principal; alimentos favoráveis ao *dosha* dominante em cada momento (você terá uma ideia de qual é respondendo ao teste); o modo de preparo e a quantidade a ser ingerida; como combinar estes alimentos; o clima e a sua rotina diária.

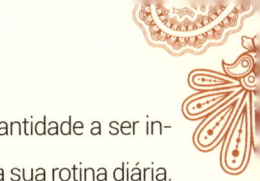

É muito importante que a refeição preparada contenha os seis sabores – doce, salgado, ácido, picante, amargo e adstringente – para equilibrar todo o sistema físico e mental. Isso não quer dizer que você terá de ingerir uma porção de cada um desses sabores em todas as refeições, ou que precisará consumir seis tipos diferentes de legumes, frutas, grãos e verduras para contemplar os seis sabores. Um único ingrediente ou uma única preparação poderá conter dois ou mais sabores de uma só vez. Por exemplo, um arroz com pimenta calabresa reúne o sabor doce do arroz e o picante da pimenta. Vá compondo sua refeição de modo que, ao final, haja um toque dos seis, lembrando de priorizar aqueles que são ideais para seu *dosha*.

No começo, preocupe-se apenas em seguir as receitas já prontas. Isso ajudará você a ir se habituando a uma nova rotina alimentar. Mais tarde, quando já estiver familiarizado com os conceitos da Ayurveda, experimente criar as suas.

> Lembre-se sempre de um detalhe importante: não é por sua receita conter especiarias que ela será considerada ayurvédica. Ela precisa, sim, combinar os ingredientes certos, não conter substâncias artificiais ou combinações incompatíveis e ter os alimentos ideais para o seu *dosha*.

Cardápio Vata

Café da manhã
Chá de erva-doce + mingau de aveia com frutas

Almoço
Arroz basmati + lentilha rosa com alho-poró, creme de espinafre, broto de feijão e especiarias

Lanche da tarde
Creme de papaia com amêndoas + chá de hortelã

Jantar
Sopa de aspargos frescos com amêndoas

Café da manhã
Chá de camomila com canela + creme de frutas cozidas e panqueca de aveia com *ghee*

Almoço
Arroz integral com cúrcuma + purê de batata-baroa com semente de mostarda, palmito com alecrim e *dhal* de ervilha partida

Lanche da tarde
Banana-da-terra assada com açúcar mascavo e *masala* doce + chá de cardamomo

Jantar
Sopa de abóbora com manjericão

Café da manhã
Chá de gengibre e alcaçuz + mingau de aveia com leite e especiarias

Almoço
Arroz basmati com alho-poró, cenoura e aspargos + vagem francesa refogada, feijão-azuqui com abóbora e purê de batata-doce

Lanche da tarde
Suco de figo seco, damasco, amêndoas e rapadura

Jantar
Macarrão de semolina com cenoura, alho-poró e especiarias

Cardápio *Pitta*

Café da manhã
Chá de cardamomo + mingau de quinoa com mascavo e uva-passa

Almoço
Arroz basmati com cardamomo + quiabo com especiarias e leite de coco, hambúrguer de lentilha e raita de pepino

Lanche da tarde
Purê de maçã com cardamomo

Jantar
Sopa de abobrinha com especiarias

Café da manhã
Chá de menta + mingau de semolina com rapadura, cardamomo, leite de amêndoas e uva-passa e panqueca de aveia com geleia de damasco sem açúcar

Almoço
Kichadi + couve-flor, vagem francesa com coco ralado, salada de brotos, radicchio e pepino, temperada com azeite e sal

Lanche da tarde
Mix de frutas secas: uva-passa, figo, damasco, ameixa seca

Jantar
Caldo verde

Café da manhã
Chá de jasmim + aveia cozida com açúcar mascavo, uva-passa, ameixa e leite de coco

Almoço
Arroz com açafrão + abobrinha com especiarias, grão-de-bico com abóbora, salada de folhas verdes (radicchio, rúcula, agrião e chicória)

Lanche da tarde
Lassi Pitta

Jantar
Sopa de feijão *moyashi*

Cardápio *Kapha*

Café da manhã
Chá-verde + cuscuz de milho com *ghee*

Almoço
Repolho refogado com cenoura e *masala kapha* + lentilha verde com especiarias, farofa de gérmen de trigo com cenoura e gengibre, folhas amargas temperadas com limão

Lanche da tarde
Chá de maçã com canela + creme de manga com abacaxi, gengibre e canela

Jantar
Sopa de couve-flor

Café da manhã
Chá de gengibre, capim-limão e canela + creme de pêssego com uva-passa, cozido com canela, cravo e flocos de quinoa

Almoço
Feijão-azuqui + farofa de milho ao *curry*, espinafre refogado com cebola roxa, salada de alface, rúcula e broto de trevo temperado com pimenta-do-reino e sal

Lanche da tarde
Sementes de abóbora salgada e tostada

Jantar
Sopa de repolho

Café da manhã
Chá + mingau de quinoa com gengibre

Almoço
Arroz basmati com ervilha fresca + berinjela com especiarias, feijão-fradinho com cenoura e couve refogada

Lanche da tarde
Pipoca com *curry* e óleo de girassol

Jantar
Sopa de espinafre

Alimentos e seus antídotos

Na culinária ayurvédica, utilizamos as especiarias para combater os possíveis efeitos negativos que certos alimentos nos causam. Dependendo do nosso *dosha* original, ou mesmo dos desequilíbrios que estamos atravessando, nosso organismo reage de formas distintas a determinados alimentos.

As especiarias, além de ajudarem na formação de enzimas digestivas facilitando a passagem do alimento pelo trato intestinal, também trabalham positivamente na prevenção de doenças, por terem propriedades antioxidantes.

A seguir estão listados alguns alimentos e as especiarias indicadas para combater seus possíveis efeitos negativos.

Alimento	Antídoto
Maçã	Canela
Banana	Gengibre seco, mel ou cardamomo
Abacate	Limão, alho, pimenta-preta
Manga	*Ghee* com cardamomo
Chá-preto	Gengibre
Café	Noz-moscada ou cardamomo
Chocolate	Cardamomo ou cominho
Iogurte	Cominho ou gengibre
Queijo	Pimentas: do reino, dedo de moça, calabresa ou de caiena
Ovos	Salsa, coentro, açafrão e cebola
Carne vermelha	Pimenta calabresa, pimenta-preta, cravo
Álcool	¼ de colher de chá de cominho em sementes
Manteiga de amendoim	Gengibre ou cominho em pó tostado
Repolho	Cozinhar com óleo de girassol, açafrão e semente de mostarda
Batata-inglesa	*Ghee* com pimenta
Cebola	Cozinhar bem com sal ou limão

E então, como começar?

Talvez seja esta a sua pergunta se nos acompanhou até aqui. Você já recebeu muitas informações a respeito dos princípios básicos da Ayurveda: já sabe a importância de identificar seu *dosha*; está ciente do que é uma alimentação saudável segundo os preceitos ayurvédicos; reconhece alguns hábitos essenciais para uma vida de equilíbrio; já se familiarizou com os nomes de alguns temperos, óleos, alimentos. Está mais do que na hora de começar a trilhar seu caminho. Mas vá com calma. As mudanças devem ser gradativas. Pouco a pouco, você vai começar a experimentar na própria pele, no estômago, nos intestinos, nos olhos e na mente cada teoria, cada conceito apresentado anteriormente.

É este meu objetivo. Ao partilhar minha vivência, estou dividindo com cada leitor não só uma teoria, uma fabulosa sabedoria milenar, mas uma realidade. Uma realidade que vivi com meu próprio corpo, com minha mente. É uma experiência maravilhosa e única que transformou minha vida, assim como a de muitas outras pessoas que se permitiram experimentá-la. Costumo dizer que este é um caminho sem volta. Sabe por quê? Porque a Ayurveda vai plantar uma semente em você, e os frutos desta semente virão na forma de uma vida mais saudável: sem dores, sem desconfortos, sem mal-estares. Você se sentirá mais vivo, mais presente nas situações, mais equilibrado. Poderá até voltar para sua vida "normal" de antes, com as dores que todo mundo tem, pois "são coisas da idade", com os incômodos comuns a tantos. No entanto, tenho certeza de que nunca mais vai esquecer a sensação de bem-estar que você teve em poucos dias, com tão "poucas" mudanças. Portanto, seja bem-vindo ao caminho de um viver mais presente, mais consciente. Permita-se conquistar uma vida feliz de verdade.

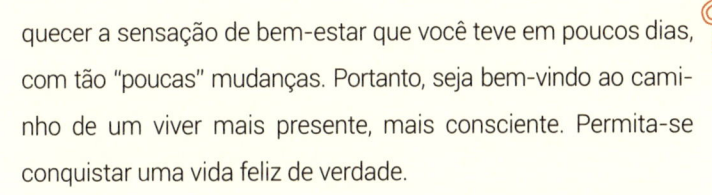

Se você se identificou como *Vata*, parabéns se chegou até esta parte do livro. Sei como vocês, *Vatas*, têm pressa, não gostam de perder tempo com detalhes, querem ir logo à prática das coisas. No entanto, se você não leu o início do livro, se preferiu pular algumas partes, experimente voltar e ler tudo na sequência. Agora que já sabe que esta é uma tendência sua, aproveite este momento para fazer diferente. Quem sabe não será o primeiro passo para grandes e profundas mudanças.

Se você é *Pitta*, vá com calma, por favor. Seja cauteloso e comece as mudanças aos poucos. Não se preocupe em colocar tudo em prática a partir da próxima refeição. Continue determinado, mas sem tomar isto como desafio, como uma disputa a ser vencida rapidamente. Este é um encontro transformador, uma conquista para toda a vida.

Agora, se você é *Kapha,* é provável que tenha lido tudo com muita calma e atenção. Tomou o cuidado de sublinhar cada detalhe importante, de assinalar todas as informações novas e interessantes para você. Mas cuidado, não vá parar por aí. Levante do sofá e comece as mudanças agora mesmo. Não deixe para a próxima segunda-feira ou para depois daquele tão esperado almoço de família. O momento é agora: comece as transformações e mudanças de hábitos o mais rápido possível.

Receitas

Ghee

Ideal para *Vata* 🌿 e *Pitta* 🔥
Consumir com moderação – *Kapha* 🌳

É uma manteiga clarificada. Em sua preparação, toda a água e os elementos sólidos da manteiga são removidos pelo aquecimento lento e contínuo até que reste somente um óleo de cor amarelo-âmbar e aroma refinado.

É extremamente benéfico para o fígado, útil para inflamações gastrointestinais e no combate a úlceras. Ajuda a equilibrar o *agni*. Ainda fortalece o sistema imunológico, ajuda no tratamento de problemas nos pulmões, a melhorar a memória e é utilizado em algumas técnicas para refrescar e nutrir os olhos. É um ótimo purificador dos canais e condutos do organismo.

No seu dia a dia, podem-se substituir todos os óleos, manteigas e margarinas pelo *ghee*. Não precisa ser refrigerado, mas deve ser guardado em recipiente bem fechado.

Preparo

Despeje 1 quilo de manteiga sem sal (4 tabletes) em uma panela de aço inox com fundo grosso. Aqueça até a fervura; abaixe o fogo, que deve ser mantido constante e sempre baixo, até o final da purificação da manteiga. Depois de cerca de uma hora e meia (o tempo dependerá de quanta água e impurezas a manteiga tenha), não haverá mais espuma sobre o óleo. A manteiga transforma-se em um líquido de cor âmbar dourado, transparente, com aroma semelhante ao de pipoca. Passe o óleo por uma peneira de aço bem fina ou coe em um coador novo de pano. Guarde em recipiente bem vedado. Conserve fora da geladeira por até três meses.

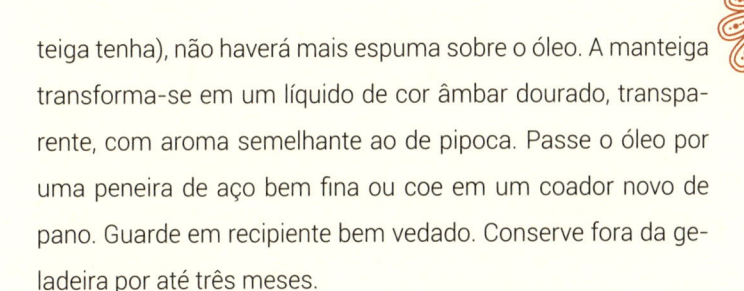

Chapati

Ideal para *Vata* e *Pitta*
Consumir com moderação – *Kapha*

Ingredientes

1 colher de chá de *ghee* | 250g de farinha integral fina (2 1/2 xícaras) | 1 pitada de sal | água morna

Preparo

Numa tigela, misture a farinha e o sal, juntando água morna aos poucos. Sove a massa por 10 minutos ou até estar lisa e firme. Cubra com um pano úmido e deixe descansar por 30 minutos.

Forme bolinhas de 4cm de diâmetro e abra cada uma até obter círculos de mais ou menos 15cm de diâmetro e 3mm de espessura.

Aqueça bem uma frigideira de ferro ou outra de fundo grosso, e coloque aí o *chapati*. Espere de 1 a 2 minutos e vire-o. Com um garfo, aperte um pouco para formar bolha, pegue o *chapati* e leve diretamente ao fogo até que se infle como um balão. Retire do fogo e coloque o *ghee* antes de servir.

MASALAS

Este é um dos segredos da culinária ayurvédica para manter o corpo saudável e equilibrar os *doshas*: *masalas* são misturas de especiarias apropriadas para cada tipo de combinação e preparação. Geralmente são feitas com ervas secas e tostadas. Para preparar é necessário ter um pilão ou um moedor de grão elétrico. As *masalas* são usadas no preparo dos alimentos, ou misturadas com azeite, *ghee* ou óleo de girassol às receitas já prontas.

Garam masala

Ideal para *Vata* e *Pitta* e *Kapha*

É uma combinação de especiarias tostadas, como sementes de coentro, cominho, cardamomo, cravo-da-índia e canela. Cada região, cada família indiana tem a sua própria versão, moendo as especiarias para temperar suas refeições.

Ingredientes

2 colheres de sopa de cominho em sementes | 2 colheres de sopa de coentro em sementes | 1 colher de sopa de pimenta-preta em grãos | 1 colher de chá de cardamomo | 5 cravos | 1/2 canela em pau

Preparo

Aqueça todas as especiarias numa frigideira pequena, em fogo baixo. Quando ficarem aromáticas, retire do fogo e triture imediatamente. Depois é só armazenar em vidro limpo e fosco bem fechado.

Masala Vata

Ingredientes

1 colher de sobremesa de cominho | 1 colher de sobremesa de feno-grego | 1 colher de sobremesa de mostarda | 1 colher de chá de páprica picante | 1/2 colher de chá de cúrcuma

Preparo

Moa tudo até formar um pó. Guarde em recipiente seco e bem fechado.

Caso você vá usar a *masala* somente nas receitas já prontas, sem esquentar no óleo, aqueça todas as especiarias numa frigideira pequena, em fogo baixo. Quando ficarem aromáticas (cerca de 1 minuto), retire do fogo e triture imediatamente.

Masala Pitta

Ingredientes

1 colher de sobremesa de coentro | 1 colher de sobremesa de cominho | 1 colher de sobremesa de erva-doce | 1 colher de chá de cardamomo | 1 colher de chá de cúrcuma

Preparo

Moa tudo até formar um pó. Guarde em recipiente seco e bem fechado.

Masala Kapha

Ingredientes

1 colher de sobremesa de mostarda | 1 colher de sobremesa de cúrcuma | 1 colher de chá de gengibre em pó | 1 colher de chá de pimenta-do-reino | 1/2 colher de chá de cravo

Preparo

Moa tudo até formar um pó. Guarde em recipiente seco e bem fechado.

Masala chai

Ideal para *Vata* 🌀 e *Kapha* 🌿
Consumir com moderação – *Pitta* 🔥

Esta é uma *masala* usada no tradicional chá da Índia. Feita com leite, chá-preto e uma mistura de especiarias que podem variar de acordo com a região, ajuda a digerir melhor proteínas ao leite e evita desconfortos como inchaço abdominal, gases e cólicas.

Ingredientes

1/2 colher de sobremesa de erva-doce | 1 colher de sobremesa de gengibre em pó | 1 colher de sobremesa de canela em pó | 1/2 colher de chá de pimenta-do-reino em pó | cúrcuma | 1 colher de sobremesa de cardamomo | 3 cravos-da-índia

Preparo

Moa tudo em um pilão em moedor elétrico. Guarde em recipiente bem fechado e seco.

CHUTNEYS

São parte fundamental da culinária ayurvédica. Coloridos, saborosos e estimulantes de *agni*, devem ser consumidas 2 colheres de sopa em pequenas quantidades, antes ou durante a refeição.

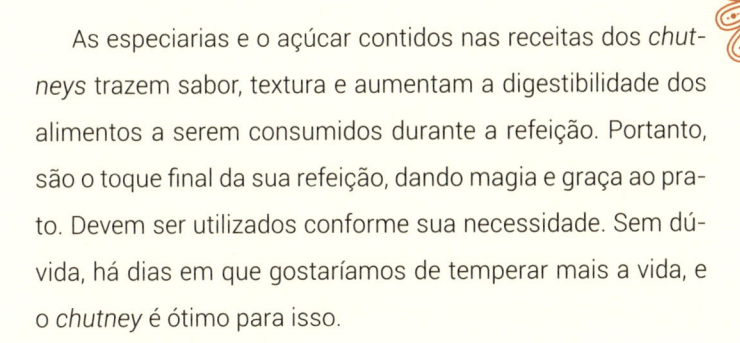

As especiarias e o açúcar contidos nas receitas dos *chutneys* trazem sabor, textura e aumentam a digestibilidade dos alimentos a serem consumidos durante a refeição. Portanto, são o toque final da sua refeição, dando magia e graça ao prato. Devem ser utilizados conforme sua necessidade. Sem dúvida, há dias em que gostaríamos de temperar mais a vida, e o *chutney* é ótimo para isso.

Chutney de manga

Ideal para *Vata* e *Kapha*

Ingredientes

1 colher de sobremesa de *ghee* | 2 mangas verdes cortadas em cubinhos | 1 cebola roxa pequena | 2 cravos | 1 canela em pau | 1 colher de sopa de cominho em grãos | 1 colher de chá de páprica picante | 1 colher de chá de cúrcuma | 2 colheres de sopa de açúcar demerara | 1 pimenta dedo de moça sem sementes, cortada em fatias finas | 1 pitada de sal | 1 copo d'água

Preparo

Esquente o *ghee* e adicione o cominho em grão. Quando começar a fazer espuma, adicione a cebola, a pimenta dedo de moça e refogue bem. Coloque todos os demais ingredientes e mexa bem. Deixe o fogo baixo, tampe a panela e cozinhe até a manga começar a desmanchar. Deixe esfriar e sirva com torradas integrais, *chapati* ou como acompanhamento nas refeições.

Chutney de coentro

Ideal para *Pitta* 🔥 e *Kapha* 🌳

Consumir com moderação – *Vata* 🍃

Ingredientes

1 colher de chá de *ghee* | 1 maço de coentro bem picadinho | 100g de coco fresco ralado | 1 colher de chá de coentro em grãos | 1/4 copo d'água | sal a gosto

Preparo

Esquente o *ghee* e coloque o coentro em grãos. Quando começar a fazer espuma, adicione a metade do coco e do coentro fresco. Refogue bem e reserve. Bata no liquidificador o restante do coentro fresco e do coco com a água. Misture tudo e sirva com torradas, *chapati* ou como acompanhamento nas refeições.

Chutney de abacaxi

Ideal para *Vata* 🍃 e *Kapha* 🌳

Ingredientes

1 colher de sobremesa de *ghee* | 1/2 abacaxi cortado em cubinhos | 1 cebola roxa bem picadinha | 1 pimenta dedo de moça cortada em fatias finas | 2 folhas de capim-limão fresco picado | 1 pitada de sal | 1 colher de sopa de açúcar demerara | 1 cravo-da-índia | 1 canela em pau | sementes de 1 baga de cardamomo | 1/2 xícara de água

Preparo

Esquente o *ghee* em uma panela e coloque o cardamomo, a canela e o cravo. Deixe exalar o aroma e acrescente a pimenta e a cebola. Refogue até a cebola ficar bem dourada. Adicione o abacaxi e o capim-limão, mexa bem. Deixe cozinhar por 2 minutos, adicione o sal, o açúcar e a água. Tampe a panela e deixe cozinhar em fogo baixo até o abacaxi desmanchar (cerca de 15 minutos). Desligue o fogo, deixe esfriar e sirva com torradas integrais, *chapati* ou como acompanhamento nas refeições.

Chutney de maçã

Ideal para *Vata* e *Pitta* e *Kapha*

Ingredientes

1 colher de sobremesa de *ghee* | 3 maçãs descascadas e cortadas em pedaços pequenos | 1 cebola roxa picadinha | 2 colheres de sopa bem cheias de açúcar demerara | 1 canela em pau | 1/2 xícara de uvas-passas | 1 cravo | 1 colher de sopa de gengibre fresco ralado | 1 pitada de sal | 1 cardamomo | 1 colher de chá de pimenta calabresa | 1 xícara de água

Preparo

Esquente o *ghee* em uma panela e coloque a canela, o cravo e o cardamomo. Refogue até exalar aroma. Adicione a cebola e o gengibre e deixe dourar levemente. Acrescente todos os demais ingredientes. Tampe a panela e deixe cozinhar em fogo baixo até a maçã desmanchar. Desligue o fogo e coloque em outro recipiente para esfriar.

Raita de pepino

Ideal para *Vata* 🌀 e *Pitta* 🔥

Ingredientes

1 copo de iogurte natural | 1 copo de pepino sem casca cortado em rodelas finas | 1 colher de chá de cominho em pó | 1 colher de chá de coentro fresco | 1 pitada de pimenta-do-reino | 1 pitada de páprica picante ou pimenta-de-caiena

Preparo

Em um recipiente, misture bem o iogurte, a pimenta-preta e o cominho em pó e o coentro. Adicione o pepino e misture delicadamente. Despeje no recipiente que será servido e coloque por cima a pimenta-de-caiena. Se for *Pitta*, adicione o coentro fresco. O ideal é consumir no máximo 4 colheres de sopa em uma refeição.

Pitta 🔥 — 1 colher de sopa de coentro fresco picado

ARROZ

O reflexo dourado de um arrozal equivale ao efeito brilhante que o arroz produz dentro de nós. Em muitas culturas, é considerado uma dádiva divina. Arroz não é apenas um alimento básico em todo o mundo, mas é um símbolo para a saúde, fertilidade e riqueza em muitos países. No Brasil, é costume jogá-lo em recém-casados, simbolizando votos de fertilidade e prosperidade.

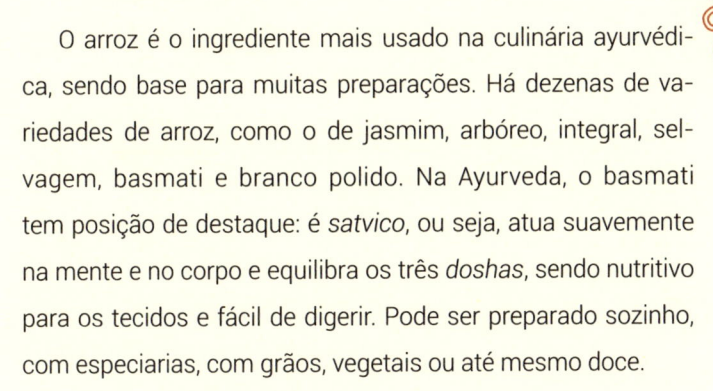

O arroz é o ingrediente mais usado na culinária ayurvédica, sendo base para muitas preparações. Há dezenas de variedades de arroz, como o de jasmim, arbóreo, integral, selvagem, basmati e branco polido. Na Ayurveda, o basmati tem posição de destaque: é *satvico*, ou seja, atua suavemente na mente e no corpo e equilibra os três *doshas*, sendo nutritivo para os tecidos e fácil de digerir. Pode ser preparado sozinho, com especiarias, com grãos, vegetais ou até mesmo doce.

O arroz é um alimento suave que nosso organismo acolhe como uma delicada luz a banhar-lhe os tecidos. Capaz de equilibrar *Vata* e *Pitta*, deve ser consumido com moderação por *Kapha*, pois pode criar excesso de muco. Sobremesas preparadas com arroz e leite são particularmente boas para esfriar *Pitta*, devendo ser evitadas quando estamos resfriados. Para pessoas *Kapha*, o ideal é tostar o grão antes de cozinhar. Com isso, remove-se sua água interna, deixando-o menos pesado e mais nutritivo.

Basmati

Ideal para *Vata* e *Pitta*

Variedade famosa por sua fragrância e sabor delicado, seus grãos são longos e ficam ainda mais compridos quando cozidos.

Ingredientes

1 xícara de arroz | 3 1/2 xícara de água | 1/2 colher de chá de sal

Preparo

Lave o arroz, coloque-o na panela e deixe tostar por 2 minutos, sem adicionar óleo. Acrescente a água, mexa e, assim que ferver, adicione o sal, tampe a panela e diminua o fogo. Cozinhe até a água secar. Separe os grãos com um garfo e sirva em seguida.

Com nozes e cúrcuma

Ideal para *Vata*

Ingredientes

1 colher de chá de *ghee* | 1 alho-poró picado | 1 xícara de arroz integral agulhinha | 6 nozes picadas | 1 colher de sopa de manjericão picado | 1 colher de chá de cúrcuma em pó | 3 xícaras de água | sal a gosto

Preparo

Em uma panela, coloque o *ghee* e o alho-poró e deixe dourar levemente. Acrescente a cúrcuma, o arroz e mexa bem. Junte o manjericão e a água. Quando levantar fervura, baixe o fogo e coloque o sal. Tampe a panela e deixe cozinhar até a água secar por completo. Adicione as nozes e sirva em seguida.

Com legumes

Ideal para *Vata* e *Pitta*

Ingredientes

1 colher de chá de *ghee* | 1 xícara de arroz basmati ou integral | 200g de vagem francesa picadinha | 1 alho-poró em fatias finas | 1 colher de chá de *masala* (ideal para o seu *dosha*) | 2 cenouras raladas | 2 xícaras de água (para o basmati; 3 para o integral) | sal a gosto

Preparo

Esquente o *ghee* e refogue o alho-poró. Coloque a *masala*, mexa bem e adicione os legumes. Refogue por 2 minutos, acrescente o arroz e a água. Quando ferver, coloque o sal, abaixe o fogo e deixe cozinhar até secar.

Kichari

Ideal para *Vata* e *Pitta*

Ingredientes

1 colher de chá de *ghee* | 1 colher de chá de sementes de cominho | 1 colher de chá de cúrcuma | 1 cebola picada em pedaços pequenos | 1 colher de chá de sal | 1 xícara de arroz basmati | 1/2 xícara de lentilha vermelha, verde ou marrom | 1 cenoura cortada em cubinhos | 50g de vagem cortada bem fininha

Preparo

Esquente o *ghee* em uma panela e adicione o cominho. Quando começar a formar espuma, adicione a cúrcuma e em seguida a cebola. Refogue até dourar bem. Acrescente, nesta ordem: todos os vegetais, por último o arroz e a lentilha. Frite um pouco e adicione água fria, até cobrir o arroz e os vegetais. Se preferir que ele fique mais soltinho, coloque menos água. Quando a água ferver, adicione o sal, abaixe o fogo e deixe cozinhar até a água secar. Você pode variar os legumes conforme a sua tabela de alimentos ideais.

Pulao

Ideal para *Vata* 🐌 e *Pitta* 🔥

Consumir com moderação – *Kapha* 🌳

Ingredientes

1 colher de chá de *ghee* | 1 e 1/2 xícara de arroz basmati | 1 canela em pau | 1 cardamomo | 1 cravo-da-índia | 1 colher de chá de cominho em grão | 1 cebola cortada em cubinhos | 1 colher de chá de cúrcuma | 1 pitada de pimenta-preta | 1 colher de chá de sal | 1 tomate cortado em cubinhos | 1 cenoura cortada em cubinhos | 1/2 pimentão vermelho cortado em fatias bem fininhas | 1/2 xícara de ervilha fresca | 3 e 1/2 xícaras de água

Preparo

Esquente o *ghee* em uma panela e coloque o cominho, a canela, o cravo e as sementes de cardamomo. Em seguida, acrescente o pimentão para dourar. Misture bem e adicione a pimenta-preta e a cúrcuma. Coloque, então, a cebola e deixe dourar. Acrescente o tomate e misture bem. Adicione os vegetais e refogue por cerca de 3 minutos. Em outra panela, toste o arroz sem óleo por 2 minutos e em seguida misture-o aos vegetais. Coloque 2 xícaras de água quente e deixe cozinhar. Quando a água ferver, adicione o sal. Logo em seguida, abaixe o fogo e deixe cozinhar até toda a água evaporar. Sirva quente.

Arroz com castanhas

Ideal para *Vata*

Ingredientes

1 colher de chá de *ghee* | 1 e 1/2 xícara de água | 1 xícara de arroz basmati | 2 colheres de sopa de castanha de caju picada | 1 colher de sopa de alho-poró cortado em fatias finas | sal a gosto

Preparo

Refogue o alho-poró no *ghee* até começar a dourar. Acrescente o arroz, mexa bem e adicione a água. Quando ferver, coloque a castanha e o sal. Abaixe o fogo até a água secar.

Arroz com *moyashi*

Ideal para *Vata* e *Pitta*
Consumir com moderação – *Kapha*

Ingredientes

1 colher de chá de *ghee* | 1/2 xícara de feijão *moyashi* | 4 xícaras de água | 1 xícara de arroz basmati ou integral | 1 cebola roxa cortada em quadradinhos | 1 colher de chá de *masala* (*Vata*, *Pitta* ou *Kapha*) | 1 pitada de assa-fétida em pó | 1/2 colher de chá de sal

Preparo

Esquente o *ghee* e em seguida acrescente a cebola. Assim que estiver bem dourada, adicione a *masala* e a assa-fétida. Mexa bem por 1 minuto. Coloque o *moyashi*, acrescente a água e deixe cozinhar por 10 minutos em fogo baixo. Adicione o arroz e o sal, mexa bem e deixe cozinhar até a água evaporar.

LEGUMES

A vida perderia muito de seu encanto se não fossem as cores dos vegetais, seus formatos tão diferentes. Sinto uma profunda e renovada alegria ao ver meu prato repleto da diversidade da natureza. É mágica essa sensação de que sempre há algo novo a se descobrir, um sabor que nos surpreende, uma cor que nos extasia, um perfume que nos encanta. Tudo isso faz com que a gente não se canse do exercício de viver, nos faz sentir como se a vida fosse uma eterna e prazerosa festa.

Creio que, se compararmos um prato em que predominam o preto e branco, como o tradicional arroz, feijão e bife, com uma refeição colorida por legumes e vegetais, numa festiva combinação de cores e formas, seremos atraídos por essa bela pintura de diferentes matizes da vida, por essa natureza viva que os vegetais nos oferecem.

Muitas vezes, me pego admirando a beleza da casca dos vegetais, suas texturas tão distintas, suas nuances de cores. Como me encantam esses pequenos poemas que a natureza escreve. Esses instantes de mágica epifania me deixam tomada por uma profunda satisfação em viver e estimulam meu prazer em me alimentar.

Examinando a questão de modo mais objetivo, vale lembrar que os legumes e vegetais, tão ricos em vitaminas e fáceis de digerir, são a alternativa mais fácil, saudável e saborosa para todas as refeições. Com a enorme variedade de sabores que oferecem, não é difícil, apenas com eles, compor uma refeição em que haja os seis sabores principais.

De acordo com a Ayurveda, vegetais folhosos verde-escuros merecem um lugar especial na dieta diária, pois ajudam a promover uma imediata faxina no organismo e a nutri-lo com minerais e vitaminas. Couve, espinafre, acelga, folhas de mostarda, de beterraba e de brócolis são largamente usados na dieta ayurvédica. As folhas verdes contêm sucos nutritivos que também ajudam a repor líquido em nosso corpo, além de purificar-lhe os canais sutis, chamados *shrotas*. Possuem ainda uma grande quantidade de *prana* ou energia vital, que sustenta mente e corpo.

Folhas verdes ajudam a equilibrar *Pitta* e *Kapha*. Quem precisa equilibrar *Vata* também deve comê-las, preparadas com *ghee* ou óleo e especiarias, para reduzir *Vata* ou *masala vata*. É importante comprar verduras orgânicas, sempre que possível, e consumi-las cozidas. Algumas folhas, como alface, rúcula, agrião, *radicchio*, assim como os brotos, podem ser consumidos crus, especialmente pelos que são *Pitta*.

O consumo dos demais vegetais – como abobrinha, abóbora, cenoura, aspargos, berinjela, inhame – deve variar de acordo com o *dosha*. Consulte a lista de alimentos recomendada para cada *dosha* para se orientar melhor.

Os vegetais devem ser consumidos cozidos, principalmente pelos *Vatas* e *Kaphas*. *Pittas*, ocasionalmente e no verão, podem consumir alguns vegetais crus misturados a outros cozidos. Podem ser preparados no vapor, cozidos com especiarias ou ainda junto aos grãos ou arroz.

Purê de batata-doce

Ideal para *Vata* e *Pitta*

Ingredientes

1 colher de chá de *ghee* | 4 batatas-doces | 1 pitada de sal | 1 pitada de canela em pó

Preparo

Cozinhe as batatas no vapor. Depois de cozidas, amasse-as bem. Esquente o *ghee* em uma panela, adicione a batata amassada, o sal e a canela em pó. Mexa bem e sirva.

Cogumelos ao *curry*

Ideal para *Kapha*

Ingredientes

1 colher de sobremesa de *ghee* | 3 espigas de milho-verde fresco | 1 canela em casca | 1 cardamomo moído | 1 cravo-da-índia | 1 cebola roxa cortada em cubinhos | 1 colher de chá de gengibre fresco ralado | 1/2 colher de chá de sal | 1 pimenta dedo de moça fresca sem sementes em fatias | 1/2 colher de sobremesa de semente de coentro triturada | 1 colher de chá de cúrcuma | 1 tomate maduro, sem sementes e cortado em cubinhos | 300g de cogumelos *champignons* | 2 colheres de sobremesa de coentro fresco para enfeitar

Preparo

Coloque 1 colher de chá de *ghee* em uma panela e deixe aquecer. Adicione o milho-verde e refogue até ele amolecer (cerca de 3 minutos). Retire do fogo e reserve. Coloque o restante do *ghee* em outra panela, acrescente a canela, o cardamomo e o cravo e deixe em fogo médio até exalar aroma. Adicione o gengibre e a pimenta dedo de moça, refogue bem e acrescente a cúrcuma. Mexa bem e coloque o tomate, deixando cozinhar cerca de 5 minutos. Junte os cogumelos, o milho e cozinhe tudo com 1/2 copo de água até secar.

Curry de legumes

Ideal para *Vata*

Ingredientes

1/2 colher de sobremesa de *ghee* ou 1 colher de chá de óleo de girassol | 5 tomates | 3 cenouras em cubinhos | 1 cebola roxa picada | 1/2 alho-poró em fatias | 100ml de leite de coco | 200g de vagem picada | 1 colher de chá cúrcuma | 1/2 colher de sobremesa de cominho | 1/2 colher de chá de sal | 1 colher de chá de páprica picante | 1 pitada de assa-fétida | 1 colher de chá de feno-grego em pó

Preparo

Refogue o alho-poró e a cebola no *ghee*. Adicione as especiarias em pó e logo em seguida coloque o tomate. Refogue bem. Adicione a cenoura e a vagem. Cubra com água e deixe cozinhar. Quando os legumes estiverem *al dente*, adicione o leite de coco, mexa bem e sirva em seguida.

Curry de shitake

Ideal para *Vata* e *Kapha*

Ingredientes

1 colher de sobremesa de *ghee* | 200g de *shitake* | 3 aipins descascados | 4 tomates cortados em cubinhos | 2 cebolas roxas grandes | 1 colher de chá de páprica picante | 1 colher de chá de cominho em pó | 1 colher de chá de coentro em pó | 1 colher de chá de cúrcuma | 1 colher de sobremesa de semente de mostarda | 1 pimenta dedo de moça cortada em fatias bem fininhas | 1 colher de sobremesa de gengibre ralado | 2 cardamomos | 1 pedaço de canela em pau | coentro fresco

Preparo

Coloque o *shitake* com um pouco de água em uma panela e deixe cozinhar entre 10 e 15 minutos. Remova-o da água e reserve. Esquente o *ghee* e adicione a semente de mostarda. Quando ela começar a pular, coloque a pimenta dedo de moça e o gengibre. Deixe dourar por 1 minuto e em seguida adicione todos os temperos em pó. Mexa bem e acrescente a cebola deixando-a dourar. Adicione o tomate e deixe cozinhar de 5 a 10 minutos. Deixe esfriar e bata no liquidificador junto com o aipim já cozido na água. Misture o *shitake* reservado ao creme de aipim e sirva com o coentro fresco picadinho.

Kapha — reduzir a quantidade de aipim pela metade.

Polenta com *shitake*

Ideal para *Kapha* 🌳

Ingredientes

1 colher de chá de *ghee* ou óleo de coco | 1 xícara de farinha de milho orgânica | 3 xícaras de água | 1 colher de sopa de alecrim | 200g de *shitake* sem o talo e fatiado | 1 cebola roxa cortada em fatias finas | 1 colher de chá de gengibre fresco ralado | sal a gosto | coentro fresco a gosto

Preparo

Em uma panela, coloque a água, uma colher de chá de gengibre, a farinha de milho, o alecrim e o sal. Deixe ferver e abaixe o fogo. Cozinhe, mexendo constantemente, até ficar mais seco. Em outra panela, esquente o *ghee* ou o óleo de coco e refogue a cebola até ficar bem dourada. Adicione o *shitake* e deixe cozinhar até ficar macio. Em um recipiente coloque a polenta, arrume o *shitake* por cima e polvilhe o coentro fresco sobre a mistura. Sirva morno.

Creme de espinafre

Ideal para *Vata* 💨 e *Pitta* 💧 e *Kapha* 🌳

Ingredientes

1 colher de chá de *ghee* | 2 inhames cortados em pedaços pequenos | 1 maço de espinafre | 1 cebola picadinha | 1 colher de chá de cúrcuma | 1 colher de chá da páprica picante | 1 colher de chá de cominho em pó | 1/4 copo de água | sal a gosto

Preparo

Coloque o *ghee* numa panela, acrescente a cebola, refogue bem e adicione os temperos em pó. Mexa bem e em seguida acrescente o espinafre, o inhame e a água. Abaixe o fogo, tampe a panela e deixe cozinhar. Quando o inhame estiver macio, desligue o fogo, acrescente o sal e transfira para o liquidificador. Bata até formar um creme homogêneo. Devolva à panela, esquente novamente e sirva.

Pitta ♦ — substituir páprica por coentro

Aspargos ao molho de tomilho

Ideal para *Vata* 🌀 e *Kapha* 🌳

Ingredientes

8 aspargos frescos | 1 colher de sopa de tomilho fresco | 1 colher de sopa de alecrim fresco | 2 colheres de sopa de *tahine* | 1 colher de sopa de gengibre fresco ralado | 1 colher de chá de cúrcuma | 1 colher de chá de páprica picante | gotas de 1/2 limão | 1 colher de sobremesa de azeite de oliva | sal a gosto

Preparo

Cozinhe os aspargos no vapor por 5 minutos e reserve. Enquanto isso, em um recipiente, misture todos os demais ingredientes até formar uma pasta homogênea. Arrume os aspargos em um prato e espalhe por cima o molho de *tahine* com as especiarias.

Quibe de abóbora

Ideal para *Vata*

Consumir com moderação – *Pitta* e *Kapha*

Ingredientes

1 colher de chá de *ghee* | 100g de trigo para quibe | 300g de abóbora japonesa | 1 alho-poró cortado em fatias finas | 1 colher de chá de páprica picante | 1 colher de chá de cúrcuma | 1 colher de chá de cominho em pó | 1 colher de chá de sal marinho | 1 colher de sobremesa de gengibre fresco ralado | coentro fresco picadinho

Preparo

Deixe o trigo para quibe de molho em 2 copos de água morna por 15 minutos. Cozinhe a abóbora no vapor também por 15 minutos, bata-a no liquidificador e reserve. Em uma panela, esquente o *ghee*, coloque o gengibre e refogue. Adicione os temperos em pó e o alho-poró, refogando-o até ficar bem dourado. Junte a abóbora e acrescente o sal. Misture tudo com a farinha do quibe e coloque em uma assadeira untada com *ghee*. Leve ao forno preaquecido a 180 graus por 25 minutos. Salpique o coentro fresco sobre o prato e sirva morno.

Broto de feijão com legumes

Ideal para *Vata* e *Pitta* e *Kapha*

Ingredientes

1 colher de chá de *ghee* ou óleo de girassol | 1 alho-poró cortado em fatias bem fininhas | 100g de broto de feijão *moyashi* | 1 cenoura ralada | 1 colher de chá de *curry* | 1 xícara de água | sal a gosto

Preparo

Coloque o *ghee* em uma panela. Adicione o alho-poró e refogue bem. Misture o *curry*, mexa e acrescente o broto de feijão e a cenoura. Refogue por 2 minutos, adicione a água e tampe a panela. Quando a água ferver, adicione o sal, abaixe o fogo e deixe cozinhar até a água secar. Sirva morno.

Bobó de pupunha

Ideal para *Vata*

Ingredientes

1/2 colher de sobremesa de *ghee* ou óleo de girassol | 2 aipins | 1 cebola roxa | 3 tomates | 1 pimenta dedo de moça cortada em fatias bem fininhas | 1 colher de sobremesa de gengibre ralado | 1/2 colher de chá de páprica picante | 1/2 colher de chá de coentro em pó | 1/2 colher de chá de cúrcuma | 1/2 colher de sobremesa de cominho em grão | 1/2 colher de chá de feno-grego | 200g de palmito pupunha cortado em fatias finas | 1 colher de chá de sal grosso | 1 pitada de sal

Preparo

Em uma panela, coloque o palmito, o sal grosso e 1/2 litro de água. Leve ao fogo médio e cozinhe até o palmito ficar macio. Remova a água e reserve. Cozinhe o aipim separadamente e reserve também. Em outra panela, esquente o *ghee* e adicione o cominho. Quando começar a levantar espuma, acrescente o gengibre e a pimenta dedo de moça. Refogue por cerca de 2 minutos e coloque os temperos em pó. Em seguida, adicione a cebola e refogue até dourar. Coloque o tomate e cozinhe até começar a desmanchar. Adicione o sal. Desligue o fogo, espere esfriar e bata no liquidificador com o aipim reservado. Coloque na panela novamente, adicione o palmito e deixe cozinhar por mais 5 minutos em fogo baixo. Sirva morno.

Abóbora com especiarias

Ideal para *Vata* e *Pitta*

Ingredientes

1 colher de chá de *ghee* | 200g de abóbora japonesa cortada em cubinhos | 1 alho-poró | 1 colher de chá de cúrcuma | 1 colher de chá de cominho em grãos | 1 colher de chá de páprica picante | 1 pitada de orégano | sal a gosto | 1 copo d'água

Preparo

Corte o alho-poró em fatias finas. Coloque o *ghee* em uma panela e, assim que esquentar, coloque o cominho em grão. Quando começar a levantar espuma, adicione o alho-poró, refogue bem e acrescente os temperos em pó e a abóbora. Adicione a água e deixe cozinhar até ela ficar macia. Desligue o fogo, misture o sal e o orégano e sirva em seguida.

Pitta 🔥 — substituir páprica e cominho por coentro fresco picado.

Vagem refogada

Ideal para *Vata* 〰️ e *Pitta* 🔥 e *Kapha* 🌳

Ingredientes

1 colher de chá de *ghee* | 100g de vagem francesa cortadas em fatias bem fininhas | 1 dente de alho amassado | 1 colher de chá de gengibre fresco | 1/2 xícara de água | 1 colher de chá de cúrcuma | 1 colher de chá de semente de mostarda | 1 colher de chá de cominho em pó | sal a gosto

Preparo

Esquente o *ghee* em uma panela e adicione a mostarda. Quando começar a pular, acrescente o gengibre, o alho e refogue bem. Coloque os temperos em pó, mexa bem e, em seguida, acrescente a vagem. Refogue por cerca de 3 minutos e adicione a água. Abaixe o fogo e deixe cozinhar até a água secar. Coloque o sal e sirva em seguida.

Pitta 🔥 — adicione coentro fresco picadinho na hora de servir.

Abobrinha refogada

Ideal para *Vata* e *Kapha*

Ingredientes

1 abobrinha verde cortada em cubinhos | 1/2 alho-poró cortado em fatias finas | 1/2 colher de chá de cominho em grão | 1/2 colher de chá de páprica picante | 1/2 colher de chá de cúrcuma em pó | 1 pitada de sal | 1 xícara de água

Preparo

Esquente o *ghee* em uma panela e coloque o cominho em grão. Quando formar espuma, adicione os temperos em pó, em seguida o alho-poró. Refogue bem. Adicione a abobrinha, refogue por cerca de 2 minutos. Coloque a água, abaixe o fogo, tampe a panela e deixe cozinhar até a água secar. Desligue o fogo e sirva em seguida.

Palmito com alecrim

Ideal para *Vata* e *Pitta*
Consumir com moderação – *Kapha*

Ingredientes

1 colher de chá de *ghee* | 6 palmitos frescos orgânicos | 1 colher de sopa de alecrim | 1 colher de chá de sal grosso

Preparo

Cozinhe o palmito na água e no sal grosso. Quando começar a ficar macio, desligue o fogo e escorra a água. Esquente o *ghee*, coloque o alecrim; quando começar a formar espuma, acrescente o palmito e refogue. Sirva em seguida.

Couve-flor com coco

Ideal para *Pitta* 🔥 e *Kapha* 🌳

Ingredientes

1 colher de chá de óleo de girassol | 1 pitada de assa-fétida | 1 colher de sobremesa de gengibre fresco ralado | 1 colher de chá de mostarda em grãos | 1/2 xícara de coco ralado | 300g de couve-flor, cortada em pedacinhos | 1/2 colher de chá de cúrcuma | 1/2 colher de chá de sal | 500ml de água

Preparo

Cozinhe na água a couve-flor com a cúrcuma. Em outra panela, esquente o óleo e adicione as sementes de mostarda. Quando começarem a pular, acrescente o gengibre, o sal e o coco ralado, deixando dourar levemente. Em seguida, adicione a couve-flor já cozida e misture bem. Deixe no fogo por mais 2 minutos e sirva em seguida.

Quiabo com especiarias ao leite de coco

Ideal para *Vata* 💨 e *Pitta* 🔥 e *Kapha* 🌳

Ingredientes

1 colher de chá de *ghee* ou óleo de coco | 1 colher de chá de cominho | 1 cebola roxa cortada em cubinhos e cozida | 1/2 colher de chá de cúrcuma | 1/2 colher de chá de sal | 1 colher de chá de gengibre fresco ralado | 400g de quiabo | 200ml de leite de coco | 1 copo d'água

Preparo

Esquente o *ghee* ou o óleo e adicione o gengibre e as cebolas. Quando estiverem douradas, acrescente o cominho e a cúrcuma. Em seguida, adicione e refogue o quiabo cortado pela metade, até ficar dourado. Acrescente o leite de coco, a água e o sal. Quando levantar fervura, abaixe o fogo e deixe cozinhar por cerca de 5 minutos. Desligue o fogo e sirva morno.

Salada de beterraba com coco

Ideal para *Vata* e *Pitta*

Ingredientes

2 beterrabas cozidas no vapor | 50g de coco fresco ralado | 1 colher de sopa de nozes moídas | sal a gosto

Preparo

Rale as beterrabas já cozidas no vapor e misture bem aos demais ingredientes.

Salada de repolho

Ideal para *Kapha*

Ingredientes

1 colher de chá de óleo de girassol | 2 xícaras de repolho cortado em fatias finas | 2 pimentas dedo de moça cortadas em fatias bem fininhas | 2 colheres de sobremesa de suco de limão | 1 colher de chá de sal | 1/2 colher de chá de açúcar cristal | 1 colher de chá de semente de mostarda | 1 colher de chá de *masala Kapha*

Preparo

Coloque o repolho em um recipiente com água bem quente e cozinhe por cerca de 15 minutos. Despeje a água e reserve. Em uma panela, esquente o óleo e coloque as sementes de mostarda. Assim que começarem a pular, abaixe o fogo, adicione a pimenta e refogue por 1 minuto. Desligue o fogo, acrescente o sal, o repolho e o suco de limão, misturando bem.

Salada de pepino

Ideal para *Vata* e *Pitta*

Ingredientes

1 colher de chá de óleo de girassol | 2 pepinos japoneses cortados em cubinhos | 1 colher de sobremesa de semente de mostarda | 1 colher de sobremesa de semente de coentro | 2 colheres de sobremesa de castanha de caju moída | 1 colher de chá de sal

Preparo

Em uma panela, esquente o óleo e adicione as sementes de mostarda. Assim que começarem a pular, acrescente o coentro. Desligue o fogo e coloque a castanha de caju e o sal. Misture bem e despeje sobre o pepino.

MASSAS

Os preparados de massas como macarrões, panquecas, pães, entre outros, são uma espécie de condensação da riqueza dos grãos. Quando passamos perto daqueles locais onde ainda se preparam massas artesanalmente, repletos de pó de farinha em suspensão no ar, tingindo de um desbotado suave a pele do *massaiolo*, dando um tom azul acinzentado a todos os utensílios, é possível nos preenchermos de uma satisfação pelo trabalho do artesão e manter no peito a sensação de que seremos nutridos por um longo período. Segurança e paz nos envolvem de maneira única, afável e repleta de ternura. Sempre fico emocionada quando vejo, no interior do país ou nos redutos rústicos da Índia, a maravilhosa arte de produzir massas.

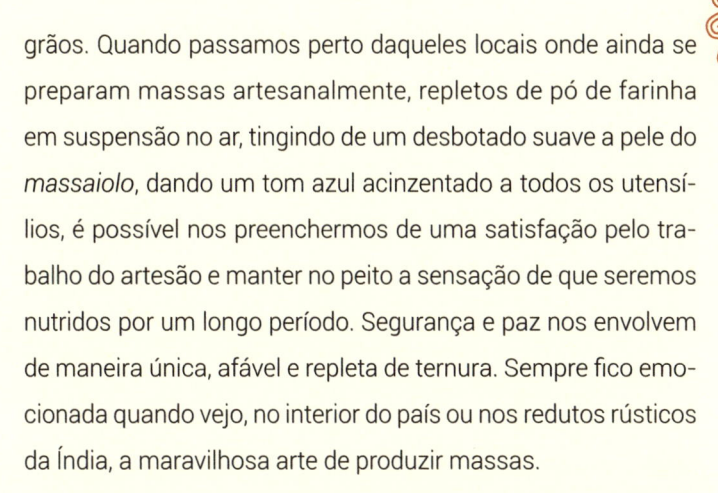

Massas são ótimas para *Vata* e *Pitta*, e geralmente aumentam *Kapha*. Para *Kapha*, preferir massas feitas com trigo-sarraceno. Para *Vatas*, as massas integrais e de arroz são ideais, e para *Pitta*, as de sêmola de trigo ou de quinoa. Quando preparar massas de arroz, evite a combinação com molhos de tomates, pois prejudicam a digestão e enfraquecem o *agni*. As massas de legumes refogados com especiarias são ótimas opções para refeições rápidas para todos.

Talharim de quinoa

Ideal para *Vata* e *Pitta*
Consumir com moderação – *Kapha*

Ingredientes

1 colher de chá de *ghee* | 100g de macarrão de quinoa | 50g de palmito pupunha fresco cortado em fatias finas | 1/2 cenoura cortada em fatias bem fininhas | 50g de ervilha fresca |

1/2 alho-poró em fatias finas | 2 colheres de chá da *masala* ideal para o seu *dosha* ou curry | 1 colher de chá de gengibre fresco ralado | 1 copo de água

Preparo

Em uma panela, esquente o *ghee*. Adicione o gengibre e refogue até dourar. Coloque a *masala* e em seguida o alho-poró. Refogue bem. Adicione os demais legumes e mexa bem. Acrescente a água e cozinhe até secar. Em outra panela, cozinhe o macarrão. Quando pronto, misture aos legumes e sirva quente.

Talharim com aspargos frescos

Ideal para *Vata* e *Pitta*

Ingredientes

1/2 colher de sobremesa de *ghee* | 1 alho-poró cortado em fatias finas | 4 aspargos frescos cortados em pedacinhos | 1 pitada de caiena (somente para *Vata*) | 1 pitada de páprica picante | folhas de manjericão fresco | 200g de talharim de sêmola ou de quinoa | sal a gosto

Preparo

Refogue bem o alho-poró no *ghee*. Adicione os aspargos frescos, a páprica picante, a pimenta-do-reino e um pouco de água. Deixe cozinhar até os aspargos ficarem macios e a água secar bem. Adicione o sal. Em outra panela, cozinhe o talharim. Misture aos aspargos e ao manjericão e sirva em seguida.

Espaguete integral com acelga

Ideal para *Vata* e *Pitta*

Ingredientes

1 colher de chá de *ghee* | 1 alho-poró | 1 xícara de acelga picadinha | 200g de espaguete integral | 1 tomate picadinho | 1 colher de chá de cúrcuma | 10 azeitonas pretas | 1/2 colher de chá de feno-grego em pó | sal e pimenta a gosto

Preparo

Corte os talos da acelga, escorra e reserve. Refogue o alho-poró e, em seguida, a cúrcuma e o feno-grego. Misture bem e adicione a acelga refogando por cerca de 3 minutos. Acrescente o tomate, cozinhe-o em fogo baixo até começar a desmanchar. Adicione o sal e a pimenta e desligue o fogo. Em outra panela, cozinhe o macarrão. Transfira-o para uma travessa, espalhe o molho quente e, por último, as azeitonas picadas.

Penne ao molho de tomate com coco

Ideal para *Vata*

Ingredientes

1 colher de chá de *ghee* | 200g de *penne* de sêmola de trigo | 1 cebola roxa bem picadinha | 3 tomates | 1/2 xícara de água | 2 colheres de sopa de leite de coco | 1 colher de chá de páprica picante | 1 colher de chá de cominho em grão | 1 colher de chá de cúrcuma | 1 pitada de açúcar demerara | 1/2 colher de chá de sal | amêndoas picadas a gosto | manjericão para decorar

Preparo

Em uma panela, esquente o *ghee* e coloque o cominho. Quando começar a levantar espuma, adicione os temperos em pó e, em seguida, a cebola. Refogue bem e coloque o tomate picadinho, mexendo sempre. Adicione a água, abaixe o fogo e deixe cozinhar por cerca de 5 minutos. Retire do fogo, transfira para o liquidificador junto com o açúcar, o sal e o leite de coco. Bata bem até formar um creme homogêneo. Devolva à panela para esquentar.

Enquanto isso, ferva 500ml de água e cozinhe o *penne* até ficar *al dente*. Escorra e misture ao molho. Salpique amêndoas picadas e folhinhas de manjericão fresco. Sirva em seguida.

PEIXES

A vasta costa da Índia é repleta de redes, barcos e pescadores. Embora sua população seja eminentemente vegetariana, o consumo ocasional de peixe é perfeitamente tolerado. Em algumas cidades litorâneas, repletas de restaurantes de frutos do mar, é comum vermos grupos de homens na beira da praia, arrastando suas redes cintilantes de peixes.

Normalmente, o peixe é um alimento de fácil digestão. Quem está habituado ao consumo de carnes vermelhas costuma dizer que é uma comida tão leve que poucas horas após sua ingestão já se sente fome novamente. A Ayurveda tem uma boa explicação para isso: peixe aumenta *Pitta*, ou seja, aumenta nosso fogo digestivo, o que desperta o apetite logo em seguida.

Interessante observar como é frequente, no Brasil, certas receitas tradicionais de peixe levarem coentro e/ou leite de coco. Não é por acaso que estes ingredientes são grandes pacificadores de *Pitta*, presente no peixe. É fabuloso perceber como na famosa moqueca baiana, por exemplo, podemos encontrar traços da mais pura sabedoria ayurvédica. Logo, não creio que seja exagero afirmar que a Ayurveda é universal e está presente de alguma forma em todas as culturas. Basta termos o conhecimento sistemático para identificarmos como as tradições dos diversos povos preservam um saber natural e harmônico que busca a interação do nosso corpo com o meio ambiente.

Portanto, ao preparar pratos com peixe, não hesite em combinar temperos levemente picantes com outros mais refrescantes, que promovam *Kapha* e *Vata*. Com isso, você estará neutralizando um pouco o efeito "inflamado" do peixe. Coentro, funcho, alecrim, hortelã, leite de coco, cúrcuma são boas opções. No entanto, esteja atento a algumas combinações incompatíveis: misturar peixes com leite de origem animal, gergelim, queijos, ovos e batata-inglesa deve ser evitado.

Namorado com leite de coco

Ideal para *Vata*

Ingredientes

1 colher de chá de óleo de coco | 200g de filé de peixe namorado | 50g de leite de coco | 1 unidade de alho-poró em fatias bem finas | 1 unidade de pimenta dedo de moça | 1 colher de chá de sal | 1 colher de chá de cúrcuma | 1 colher de chá de páprica picante | coentro fresco picadinho

Preparo

Deixe o filé de peixe marinar por 1 hora em sal e limão. Esquente o óleo e refogue o alho-poró e a pimenta dedo de moça. Quando o alho-poró começar a dourar, adicione os temperos, o sal, o leite de coco. Misture bem e reserve.

Coloque o peixe com um pouco de água em outra panela, tampe e deixe cozinhar por cerca de 5 minutos. Retire do fogo, acomode os filés numa travessa e jogue o molho de leite de coco por cima. Salpique o coentro fresco. Sirva acompanhado de arroz basmati e legumes no vapor.

Salmão com especiarias

Ideal para *Vata*

Ingredientes

1 colher de chá de óleo de coco | 200g de filé de salmão | 100g de miniervilha | 2 limões | 1 pimenta dedo de moça | 10g de sal | 1 colher de chá de cúrcuma | 1 cebola roxa | 1 colher de chá de gengibre

Preparo

Deixe o filé de peixe marinar por 1 hora em sal, limão, gengibre e pimenta. Esquente o óleo e refogue a cebola. Quando dourar, adicione a cúrcuma. Misture bem e acrescente as postas de salmão. Tampe a panela e deixe cozinhar por cerca de 3 minutos. Sirva acompanhado das miniervilhas no vapor.

Linguado com molho de tomate e azeitonas
Ideal para *Vata*

Ingredientes

50g de azeitonas pretas picadas | 200g de filé de linguado | 2 tomates | 1 cebola roxa | 1 limão | 1 pitada de sal | 1 colher de chá de cúrcuma | 1 colher de chá de páprica picante | 1 colher de chá de óleo de coco | 1 colher de chá de cominho | 1 canela em pau | coentro fresco picadinho

Preparo

Deixe o filé de peixe marinar por 1 hora em sal e limão. Esquente o óleo de coco e refogue a cebola. Quando estiver dourada, adicione os tomates. Acrescente as especiarias em pó, tampe a panela e deixe cozinhar até o molho ficar bem consistente. Adicione o coentro e as azeitonas quando pronto.

Em outra panela, cozinhe o peixe com um pouco de água na panela, em fogo baixo, por 5 minutos. Arrume os filés numa travessa, espalhe o molho e sirva, acompanhado de legumes cozidos no vapor.

GRÃOS

A diversidade de cores e formatos que os grãos apresentam revela toda a magnitude desta dádiva da natureza. Certos grãos são tão belos que chegam a ser usados na confecção de bijuterias. São pequenas pérolas de simplicidade que encantam por sua delicada beleza.

Na culinária ayurvédica, os grãos, também conhecidos como leguminosas (feijões, lentilhas, ervilhas, grão-de-bico), estão presentes em todas as refeições, devido ao seu alto teor proteico. São inúmeras as variedades de leguminosas cultivadas no mundo, numa profusão de formas, tamanhos e cores. Por serem fontes boas e baratas de nutrientes, geralmente ricas em carboidratos complexos, proteínas e fibras, e com índices relativamente baixos de gordura, as leguminosas ocupam papel de destaque na culinária de vários países. É inquestionável que seu consumo melhora a saúde como um todo, pois são muito nutritivas e sustentam o corpo, já que possuem grande quantidade de fibras e muitas vitaminas e minerais.

De acordo com a Ayurveda, as leguminosas, com seu sabor adstringente, ajudam a formar todos os sete tipos de *dhatus* ou tecidos do corpo, especialmente o muscular. Daí serem tão importantes para os indivíduos que seguem uma dieta vegetariana. Além disso, para os *Kaphas*, os grãos são excelentes, pois ajudam a saciar a fome e têm propriedades adstringentes que ressecam o corpo.

Algumas pessoas, no entanto, têm dificuldade de digerir feijões, principalmente as *Vatas*. Para facilitar a digestão e diminuir os gases que podem provocar, devem ser preparados com cebola, alho, assa-fétida, louro, gengibre e pimenta.

As leguminosas são não apenas muito nutritivas, como também bastante versáteis, prestando-se a todos os tipos de pratos. Elas combinam maravilhosamente com vegetais e especiarias, além de pães e doces.

Vejamos as maneiras básicas de se preparar os grãos:

1. Devem ser deixados de molho durante a noite e cozidos no dia seguinte. Podem-se acrescentar especiarias quando estiverem cozinhando. Outra opção é aquecer as especiarias em óleo ou no *ghee* e misturá-las aos grãos já cozidos.

2. Podem ser moídos em farinha para fazer a massa de pães, sobremesas e pudins.

Para a Ayurveda, os melhores grãos são feijões *mung* (grão do feijão *moyashi*), lentilhas vermelhas e lentilhas verdes, por serem mais fáceis de digerir, gerarem menos gases e terem cozimento bem rápido.

Constituído de pequenos grãos cilíndricos com casca verde brilhante, o feijão *mungo* (*Phaseolus aureous*) é muito comum nas cozinhas indiana e japonesa. Na culinária ayurvédica, utilizam-se os grãos inteiros ou, mais comumente, descascados, revelando-se como pequenos feijões amarelos, chamados *mung dahl*. Esses grãos não precisam de imersão prévia na água e são fáceis de cozinhar com *ghee* e vegetais. Podem ser encontrados em casas que vendem produtos alimentares japoneses ou chineses.

Para a Ayurveda, sopas de feijão *mung* são ideais para a alimentação de crianças, idosos, assim como de pessoas debilitadas ou com problemas de digestão. São também adequados para todos os *doshas*.

Lentilha verde

Ideal para *Vata* 🌬 e *Pitta* 🔥 e *Kapha* 🌿

Ingredientes

1 colher de chá de *ghee* | 1 xícara de lentilha verde, preta ou marrom | 3 xícaras de água | 1 cebola roxa picadinha | 2 folhas de louro | 1 colher de chá de cominho em pó | 1/2 colher de chá de páprica picante | 1 colher de chá de cúrcuma | 1/2 colher de chá de sal

Preparo

Em uma panela, cozinhe a lentilha com água e as folhas de louro por 10 minutos. Em outra panela, esquente o *ghee*, adicione a cebola e em seguida os temperos em pó. Deixe cozinhar até a lentilha ficar macia. Tempere com sal, desligue o fogo e sirva morno.

Nota: A lentilha verde é geralmente encontrada na seção de produtos importados das delicatessens e supermercados. Originárias da Índia, são normalmente embaladas por empresas francesas. São bem pequenas e têm coloração preta.

Lentilha rosa

Ideal para *Vata* e *Kapha*
Consumir com moderação – *Pitta*

Ingredientes

1 colher de chá de *ghee* ou 1/2 colher de chá de óleo de girassol | 1 alho-poró cortado em fatias finas | 1/2 xícara de lentilha rosa | 2 cenouras descascadas e cortadas em cubinhos | 3 xícaras de água em temperatura ambiente | 1 colher de chá de semente de coentro | 1 colher de chá de semente de cominho | 2 cardamomos | 1 pitada de páprica picante | 1 pitada de cúrcuma

Preparo

Em uma panela, aqueça o *ghee* e coloque o coentro e o cominho em grão. Quando começar a fazer espuma, adicione os temperos em pó e logo em seguida o alho-poró. Refogue bem até o alho-poró dourar. Junte a lentilha e a cenoura, refogue rapidamente e adicione água. Deixe cozinhar por cerca de 10 minutos. Desligue o fogo e sirva morno.

Pitta – substituir a páprica por coentro fresco picado no final.

Hambúrguer de lentilha

Ideal para *Vata* e *Pitta* e *Kapha*

Ingredientes

1/2 colher de sobremesa de *ghee* | 1 xícara de lentilha (vermelha, marrom ou verde) | 3 xícaras de água | 2 cenouras cortadas em cubos | 1/2 cebola roxa | 1 colher de chá de cúrcuma | 1/2 colher de chá de feno-grego | 1 colher de chá de gengibre fresco | 4 colheres de sopa de farinha de arroz | 1/2 colher de chá de pimenta calabresa | 1 colher de chá de sal

Preparo

Cozinhe a lentilha em água e reserve. Esquente o *ghee* e coloque a pimenta, o gengibre e o feno-grego. Refogue por 1 minuto. Acrescente a cebola, a cúrcuma, mexa bem e adicione a cenoura. Continue a mexer, coloque água e cozinhe até secar. Bata no liquidificador metade da lentilha e o refogado de cenoura até adquirir a consistência de uma pasta homogênea. Transfira para um recipiente e misture delicadamente com a farinha de arroz e o restante da lentilha. Unte uma forma com *ghee* e coloque a massa em pequenas porções na forma de hambúrguer. Deixe assar por 30 minutos.

Pitta ♦ — retirar a pimenta e trocar a cebola por alho-poró.

Dhal de ervilha partida

Ideal para *Vata* 🍃 e *Pitta* ♦ e *Kapha* ❀

Ingredientes

1 colher de chá de *ghee* | 200g de ervilha partida | 8 xícaras de água | 1 pitada de assa-fétida | 2 folhas de louro | 1 colher de chá de sal | 1/2 colher de chá de cúrcuma | 1 colher de chá de semente de cominho | 1 pimenta dedo de moça (*Pittas* devem retirar) | 1 colher de chá de gengibre fresco ralado | 1 cebola roxa cortada em pedacinhos | 2 cenouras cortadas em cubinhos | 2 dentes de alho (*Pittas* devem retirar)

Preparo

Deixe a ervilha de molho por 4 horas. Coloque-a em uma panela com a assa-fétida e o louro e deixe cozinhar por 20 minutos. Adicione as cenouras, desligue o fogo quando estas estiverem cozidas.

Em outra panela, esquente o *ghee* e coloque as sementes de cominho, o gengibre ralado, o alho e a pimenta picada. Em seguida, adicione a cebola e só então os temperos em pó e deixe dourar. Adicione a ervilha já cozida e o sal. Mexa bem e sirva morno.

Pitta ♨ – antes de servir, salpique coentro fresco picado.

Farofa de gérmen de trigo

Ideal para *Vata* e *Pitta* ♨

Ingredientes

1 colher de chá de *ghee* | 1/2 copo de gérmen de trigo | 1 cenoura ralada | 1 colher de sopa de gengibre fresco ralado | sal a gosto

Preparo

Esquente o *ghee* e refogue o gengibre. Coloque a cenoura e mexa bem, acrescentando por último o gérmen de trigo. Refogue até começar a dourar. Desligue o fogo, tempere com o sal e sirva morno.

Grão-de-bico com legumes

Ideal para *Kapha* 🌿

Ingredientes

2 cenouras raladas | 1 xícara de repolho cortado em fatias finas e escaldado em água fervente | 150g de grão-de-bico (deixe de molho por 6 horas, cozinhe e remova toda a pele) | 1 colher de sobremesa de mostarda em grão | 1 colher de sopa de gengibre fresco ralado | 1 colher de sobremesa de cúrcuma em pó | 1 pimenta dedo de moça | 1 pitada de *curry* | 1 cebola roxa | 1 dente de alho | 1 colher de *ghee* ou óleo de girassol | sal a gosto | 1/2 copo de água

Preparo

Esquente o óleo em uma panela, adicione as sementes de mostarda e, quando começarem a pular, coloque o gengibre, a pimenta dedo de moça, o alho e a cebola. Refogue bem até começarem a dourar. Adicione os temperos em pó. Acrescente a cenoura, o repolho, o grão-de-bico já cozido e sem pele, a água e tampe a panela. Deixe cozinhar em fogo baixo por cerca de 10 minutos. Quando a água ferver, adicione o sal. Desligue o fogo e sirva em seguida.

Feijão-azuqui com abóbora

Ideal para *Vata* 💨 e *Pitta* 🔥 e *Kapha* 🌿

Ingredientes

1 colher de sobremesa de *ghee* ou 1 colher de chá de óleo de girassol | 1 xícara de feijão-azuqui | 1 xícara de abóbora japonesa cortada em cubinhos | 1 cebola roxa picadinha |

1/2 colher de chá de cominho em grão | 1 pitada de assa-fétida | 1 folha de louro | sal a gosto | 1/2 colher de chá de cúrcuma

Preparo

Deixe o feijão de molho por cerca de 4 horas. Troque a água e leve para cozinhar por aproximadamente 15 minutos, junto com a folha de louro. Verifique se o cozimento foi suficiente. Esquente o *ghee* e adicione o cominho em grão. Quando começar a levantar espuma, acrescente a assa-fétida, a cúrcuma e em seguida a cebola. Refogue e adicione a abóbora. Refogue por cerca de 3 minutos e coloque junto do feijão. Deixe cozinhar até a abóbora começar a desmanchar. Tempere com sal, desligue o fogo e sirva morno.

Pitta ♦ e *Kapha* ♣ — colocar coentro fresco picado quando pronto

Feijão-fradinho com quiabo

Ideal para *Vata* e *Pitta* ♦

Consumir com moderação – *Kapha* ♣

Ingredientes

1 colher de sobremesa de *ghee* | 1 dente de alho picado | 1 cebola roxa pequena picada | 1/2 tomate picado | 1 pimenta dedo de moça com sementes picadas | 2 xícaras de feijão-fradinho cozido | 10 quiabos, cozidos no vapor e depois cortados em fatias | 1 xícara de água quente | 1/2 colher de chá de sal | 1 colher de chá de cominho em grão | 1 pitada de louro em pó

Preparo

Esquente o *ghee* e adicione o cominho. Quando começar a formar espuma, adicione o louro em pó, a pimenta, o alho e a cebola. Refogue bem até a cebola ficar dourada. Junte o tomate e refogue por cerca de 2 minutos.

Em seguida, junte o feijão cozido e o quiabo. Adicione a água e o sal. Tampe e deixe ferver por 5 minutos ou até o tomate estar macio e começar a desmanchar. Desligue o fogo e transfira tudo para um recipiente. Se quiser, coloque o coentro fresco e sirva com arroz.

Pitta ♦ — 3 colheres de sopa de coentro picado

SOPAS

Durante o longo período de instabilidade da saúde por que passei, tive de me alimentar muito de sopas. Por isso, tenho profundo respeito por esse delicado alimento. Para mim, as sopas, quando bem escolhidas, são como um afago materno. De forma suave e sutil, elas vão nos nutrindo, chegando de forma mais direta aos tecidos, sem exigir nada em troca, sem que precisemos ter muita disposição energética para metabolizar os alimentos.

Nutritivas, fáceis de preparar e de digerir, elas pacificam o *agni*. Especialmente no outono e inverno, são ótimas opções, principalmente para os *Vatas* e os *Kaphas*. Aquelas preparadas com grãos e lentilhas, além de conterem mais nutrientes, ajudam a equilibrar pessoas *Vatas*.

Sopas de vegetais podem ser servidas o ano todo. A Ayurveda recomenda que os ingredientes sejam todos cozidos e que elas sejam servidas mornas, a fim de facilitar a digestão. Escolha os vegetais de acordo com a estação e combine-os com as especiarias ideais para equilibrar seu *dosha*.

Tome cuidado ao optar por uma dieta baseada em sopas com o objetivo de perder peso. Por serem facilmente assimiladas pelo organismo, nem sempre são o melhor caminho para quem quer emagrecer. Você pode acabar sendo levado a comer mais fora de hora. No entanto, para se recuperar de dias estressantes ou de um prato indigesto, não há melhor escolha.

Se você prefere sopas mais consistentes, experimente adicionar na preparação inhame, farinha de sêmola, macarrão de arroz ou sêmola. Se gostar delas mais cremosas, utilize leite de coco ou de amêndoas, como substituto de creme de leite, iogurte ou leite.

Inhame com espinafre

Ideal para *Vata* e *Pitta* e *Kapha*

Ingredientes

1/2 colher de sobremesa de *ghee* | 1/2 alho-poró cortado em fatias finas | 4 inhames descascados e cortados em cubos | 1/2 colher de chá de sal | 1/2 molho de espinafre (somente as folhas) | 1/2 colher de chá de cúrcuma | 1/2 colher de chá de páprica picante

Preparo

Em uma panela, esquente o *ghee*, coloque o alho-poró e refogue até dourar. Adicione as especiarias, mexendo bem para não queimar. Acrescente o inhame e o espinafre e cubra-os com água. Diminua o fogo e deixe cozinhar até o inhame ficar bem macio. Desligue o fogo e tempere com o sal. Leve ao liquidificador ou processador e bata até formar um purê bem consistente (tenha cuidado, pois o líquido estará quente). Sirva em seguida.
Pitta 🔥 — retirar a páprica picante

Inhame com beterraba

Ideal para *Vata*

Consumir com moderação — *Pitta* 🔥

Ingredientes

1 colher de chá de *ghee* | 1/2 alho-poró cortado em fatias finas | 250g de inhame descascado e cortado em cubos | 1/2 colher de chá de sal | 1 beterraba descascada e cortada em cubos | 1/2 colher de chá de cúrcuma | 1 pitada de páprica picante | salsa e cebolinha ou coentro fresco picado

Preparo

Esquente o *ghee* em uma panela, coloque o alho-poró e refogue até ficar dourado. Adicione as especiarias, mexendo bem para não queimar. Coloque o inhame e a beterraba e cubra com água. Diminua o fogo e deixe cozinhar até ficarem macios. Desligue o fogo e tempere com sal. Leve ao liquidificador ou processador e bata até formar um purê bem consistente. Coloque as ervas frescas por cima e sirva.

Pitta 🔥 — retirar a páprica picante

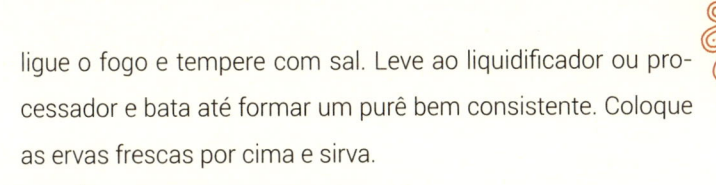

Inhame com especiarias

Ideal para *Vata* 🍃 e *Pitta* 🔥 e *Kapha* 🌳

Ingredientes

1 colher de chá de *ghee* | 1 cebola roxa média cortada em cubos | 500g de inhame descascado e cortado em cubos | 1 colher de chá de sal | 1 pedaço médio de canela em pau | 1 cravo-da-índia | 1 pitada de chá de pimenta-do-reino | 1/2 colher de chá de cúrcuma | 1/2 colher de chá de páprica picante

Preparo

Em uma panela esquente o *ghee*, o cravo e a canela. Quando exalar o aroma, adicione a cebola, a cúrcuma, a páprica picante e a pimenta, mexendo bem. Refogue até a cebola dourar. Coloque o inhame e cubra com água. Diminua o fogo e deixe cozinhar até o inhame ficar bem macio. Adicione o sal e desligue o fogo. Retire o cravo e a canela e bata no liquidificador ou processador até formar um purê bem consistente. Sirva em seguida.

Pitta 🔥 — retirar a páprica picante e salpicar coentro fresco antes de servir.

Abóbora com manjericão

Ideal para *Vata* 🌬 e *Pitta* 🔥 e *Kapha* 🌳

Ingredientes

1/2 colher de sobremesa de *ghee* | 500ml de água | 300g de abóbora japonesa | 4 colheres de sopa de alho-poró cortado em fatias finas | 3 colheres de sopa de manjericão fresco | 1 pitada de *curry* | 1/2 colher de chá de sal

Preparo

Esquente o *ghee* e refogue o alho-poró por 2 minutos. Adicione as especiarias e mexa bem. Acrescente a abóbora e a água e deixe cozinhar até ela ficar bem macia. Tempere com sal e bata no liquidificador com o manjericão. Despeje novamente na panela e esquente rapidamente. Desligue o fogo e sirva em seguida.

Kapha 🌳 — usar pouco *ghee*.

Ervilha partida

Ideal para *Vata* 🌬 e *Pitta* 🔥 e *Kapha* 🌳

Ingredientes

250g de ervilha partida (deixar de molho por 5 horas) | 1 cebola roxa picada | 1 colher de chá de gengibre fresco ralado | 1 pitada de assa-fétida | 1 colher de chá de cúrcuma | 1 colher de chá de páprica picante | 1/2 colher de sobremesa de *ghee* | 500ml de água | 1 dente de alho

Preparo

Cozinhe a ervilha na água até começar a desmanchar. Em outra panela, esquente o *ghee* e coloque o gengibre. Doure bem e adicione a cebola, o alho e os temperos em pó, nesta ordem. Refogue até a cebola dourar. Junte à ervilha e deixe cozinhar por 10 minutos. Bata no liquidificador, esquente e sirva em seguida.

Pitta – retirar alho e páprica.

Mandioquinha

Ideal para *Vata* e *Pitta*

Ingredientes

2 mandioquinhas (batata-baroa) descascadas e cortadas em rodelas grandes | 1 colher de chá de *ghee* ou 1/2 colher de chá de óleo de girassol | 1 colher de chá de orégano | 2 xícaras de chá de água | 1 pitada de cúrcuma | 1 colher de sopa de gengibre fresco ralado | 3 colheres de sopa de alho-poró picado | sal marinho a gosto

Preparo

Cozinhe as mandioquinhas no vapor até ficar *al dente*. Reserve. Esquente o *ghee* e adicione o alho-poró. Quando ficar bem dourado, acrescente a cúrcuma, o sal e as mandioquinhas. Retire do fogo e transfira para o liquidificador com cuidado. Bata com água até formar um creme homogêneo. Devolva à panela e esquente novamente. Salpique o orégano e sirva morna.

Pitta – substitua o orégano por coentro picadinho.

Aspargos frescos

Ideal para *Vata* e *Pitta*
Consumir com moderação – *Kapha*

Ingredientes

1 colher de chá de *ghee* ou 1/2 colher de chá de óleo de girassol | 8 aspargos frescos cortados em fatias | 2 colheres de sopa de alho-poró cortados em fatias finas | 1 inhame | 1 colher de chá de *curry* | 2 xícaras de água | sal a gosto

Preparo

Refogue o alho-poró com o *ghee* ou o óleo, adicione o *curry* e mexa bem. Coloque o inhame e a água e deixe cozinhar até começar a amolecer. Adicione os aspargos e cozinhe por mais 5 minutos. Tempere com sal a gosto. Deixe esfriar um pouco e bata no liquidificador. Leve ao fogo novamente, esquente e sirva em seguida.

Aspargos com amêndoas

Ideal para *Vata*

Ingredientes

1 colher de chá de *ghee* ou 1/2 colher de chá de óleo de girassol | 1 alho-poró em fatias finas | 6 aspargos frescos em pedaços | 1 inhame descascado cortado | 1 colher de chá de *curry* ou de *masala* para o seu *dosha* | 1 copo de água | 1 copo de leite de amêndoas | sal a gosto

Preparo

Esquente o *ghee* e coloque o alho-poró. Refogue bem e acrescente os aspargos, o inhame e o *curry*, nesta ordem, mexendo bem. Adicione a água e o leite de amêndoas, abaixe o fogo e deixe cozinhar. Quando os legumes estiverem bem macios, depois de 10 a 15 minutos, coloque o sal e desligue o fogo. Transfira para o liquidificador e bata até formar um creme bem homogêneo.

Cenoura com gengibre

Ideal para *Vata* e *Kapha*

Ingredientes

1 colher de chá de *ghee* ou 1/2 colher de chá de óleo de girassol | 1 cebola grande cortada em cubinhos | 1/2 colher de sobremesa de gengibre fresco ralado | 4 cenouras médias em fatias finas | 1 colher de chá de sal | 2 dentes de alho | 1/2 colher de chá de salsa desidratada | 1/2 colher de chá de cebolinha desidratada | 1/2 colher de chá de cúrcuma | 500ml de água

Preparo

Esquente o *ghee* ou o óleo na panela e adicione o gengibre, o alho e a cebola. Refogue bem até a cebola dourar e adicione as demais especiarias, as cenouras, a água e deixe cozinhar em fogo baixo por 10 minutos. Retire do fogo, bata no liquidificador até formar um creme e sirva.

Abobrinha

Ideal para *Vata* e *Pitta* e *Kapha*

Ingredientes

1/2 colher de sobremesa de *ghee* ou 1/2 colher de chá de óleo de girassol | 500ml de água | 2 abobrinhas cortadas em pedaços | 4 colheres de sopa de alho-poró cortado em fatias finas | 1 pitada de páprica picante | 1/2 colher de chá de pimenta-de-caiena | 1 pitada de *curry* | 1 colher de chá de sal

Preparo

Cozinhe as abobrinhas na água e sal até ficarem macias e reserve. Em uma panela, esquente o *ghee* ou o óleo e refogue o alho-poró por 2 minutos. Adicione as especiarias e mexa bem. Acrescente a abobrinha e a água e deixe cozinhar em fogo baixo por cerca de 10 minutos. Espere até esfriar e bata no liquidificador. Despeje novamente na panela e esquente rapidamente. Sirva em seguida.

Pitta — retirar páprica e pimenta.

Sopa de milho

Ideal para *Kapha*

Ingredientes

1/2 colher de chá de óleo de coco | 3 milhos frescos | 1 cebola roxa | 1 colher de sopa de gengibre fresco ralado | 1/2 colher de chá de cominho em pó | 1/2 colher de sobremesa de coentro fresco picado | 1 colher de chá de pimenta-do-reino | 300ml de água | sal a gosto

Preparo

Remova o milho da espiga e cozinhe em uma panela com 200ml de água. Deixe esfriar e bata o milho no liquidificador com 100ml de água. Coe e reserve.

Esquente o óleo em outra panela e adicione o gengibre, o cominho, a pimenta e a cebola, nesta ordem. Refogue bem. Adicione o creme de milho e deixe cozinhar por cerca de 10 minutos. Tempere com sal e coentro fresco, mexa bem e sirva em seguida.

Sopa de repolho

Ideal para *Kapha* ♠

Ingredientes

1 colher de chá de óleo de girassol | 300g de repolho cortado em fatias finas | 2 cenouras cortadas em cubinhos | 2 inhames cortados em cubinhos | 5 talos de aipo picadinhos | 1 colher de chá de *curry* | 1 alho-poró cortado em fatias finas | 1 colher de chá de salsa picada | 1 colher de chá de cebolinha picada | 1/2 colher de chá de pimenta calabresa | 1 colher de sobremesa de semente de mostarda | 500ml de água | sal a gosto

Preparo

Esquente o óleo de girassol em uma panela e adicione a mostarda em grão. Quando começar a pular, acrescente as especiarias em pó e em seguida o alho-poró. Refogue bem e adicione os demais legumes, cobrindo com água. Diminua o fogo e deixe cozinhar até a cenoura ficar macia. Desligue o fogo, adicione o sal, a salsa e a cebolinha, e sirva em seguida.

Creme de couve-flor

Ideal para *Pitta* 🔥 e *Kapha* 🌿

Ingredientes

1 colher de chá de *ghee* ou de óleo de coco | 200g de couve-flor | 1/2 colher de chá de sal | 8 amêndoas (usar 4 para *Kapha*) | 1 talo de aipo | 1 colher de sopa de salsa picadinha | 5 copos de água | 1 pitada de pimenta-branca | 1 pitada de assa-fétida em pó | 1 colher de sobremesa de gengibre fresco ralado

Preparo

Esquente o *ghee* ou o óleo, coloque o gengibre e refogue rapidamente. Adicione a assa-fétida e a pimenta. Acrescente a couve-flor, o aipo, as amêndoas e a água e tampe a panela. Quando a couve-flor estiver macia, desligue o fogo, adicione o sal e deixe esfriar um pouco. Leve ao liquidificador e bata bem até ficar um creme homogêneo. Devolva à panela, esquente novamente e sirva em seguida.

Pitta 🔥 — colocar coentro fresco picado.

Caldo verde

Ideal para *Pitta* 🔥 e *Kapha* 🌿

Ingredientes

1 colher de chá de *ghee* | 6 inhames | 1 cebola roxa | 1 molho de couve cortado em fatias finas | 1 colher de chá de noz-moscada | 1 pitada de pimenta-do-reino | 1 colher de chá de coentro em pó | 1/2 colher de chá de feno-grego | sal a gosto

Preparo

Esquente o *ghee* e adicione o feno-grego. Quando começar a espumar, adicione os temperos em pó, mexa bem e coloque a cebola, refogando até que ela fique ligeiramente dourada. Acrescente o inhame e cubra com água. Deixe cozinhar até o inhame ficar bem macio. Tempere com sal. Retire do fogo e bata no liquidificador. Em outra panela, refogue a couve com um pouco de *ghee* e reserve. Esquente o creme de inhame e desligue o fogo. Acrescente a couve, misture bem e sirva em seguida.

DOCES, LANCHES E MINGAUS

A doçaria dos países da Ásia é repleta de doces frescos e a diversidade de aromas e cores seduz nossos sentidos. Por vezes, utilizam-se folhas laminadas prateadas, douradas ou rosa, na tentativa de nos atrair mais ainda. É difícil resistir a estas belas e saborosas tentações.

No Oriente ayurvédico, os doces são sempre preparados com *ghee*. Entre seus atributos, está equilibrar *Vata* e *Pitta* e agravar *Kapha*. Nutritivos, eles auxiliam na formação dos tecidos do corpo, proporcionam força e podem atuar como afrodisíacos. No entanto, é preciso cautela em seu consumo. Quando ingeridos em excesso, podem provocar sonolência, letargia e mesmo problemas mais sérios como obesidade, doenças cardiovasculares e diabetes.

Doces caramelizados, preparados com açúcar levado a altas temperaturas, não fazem parte do receituário ayurvédico. O açúcar extremamente aquecido pode produzir uma alteração na frutose e se transformar em alimento tóxico. Por isso, os doces asiáticos são geralmente frios, não vão ao forno. No caso de serem aquecidos ou cozidos, isso ocorre sempre muito ligeiramente.

Sei que nossa cultura ocidental é repleta de doces caramelizados, mas busque evitá-los. Permita-se saboreá-los apenas ocasionalmente.

O mais curioso é o que vou revelar agora. Por mais que possa lhes parecer estranho este hábito, leve em consideração a sabedoria da Ayurveda e se arrisque a pelo menos experimentar. Preparados para a revelação surpreendente? Pois vamos lá: na Ayurveda, a sobremesa deve ser degustada como primeiro prato, antes da refeição. O detalhe é que não se consome uma sobremesa na quantidade a que estamos acostumados, mas sim a terça parte disso (cerca de duas colheres de sobremesa). Na verdade, ela funciona como um pequeno estímulo doce para provocar a digestão.

Para a Ayurveda, as receitas doces permitem um fluxo mais fácil das secreções digestivas. Se forem ingeridas depois de outro alimento, retardam a digestão, permitindo que a massa de alimento não digerido se transforme em um processo de fermentação. Sendo assim, devemos começar a refeição com o sabor doce e finalizá-la com alimentos adstringentes e amargos.

Desta forma, evite as sobremesas no final da refeição. Além de perder os benefícios que ela traria se ingerida no início, poderá estar prejudicando a digestão do que acaba de degustar. Dê preferência ao café da manhã e ao lanche da tarde para consumi-las.

Mingau de aveia

Ideal para *Vata* e *Pitta*

Ingredientes

1/2 colher de chá de *ghee* | 8 amêndoas sem pele | 4 copos de água | 1 xícara de aveia em flocos (quinoa ou semolina para *Kapha*) | 1 colher de sobremesa de uvas-passas | 1 pitada de cardamomo em pó | 1 colher de sopa de açúcar mascavo (para *Kapha*, substituir por mel, mas colocar somente depois de pronto) | 1 colher de chá de canela em pó | 1 banana cortada em fatias finas (*Pitta* deve evitar)

Preparo

Bata as amêndoas e a água no liquidificador e reserve. Em uma panela, esquente o *ghee*, coloque as especiarias e mexa bem. Adicione a aveia, o leite de amêndoas, o açúcar e as uvas-passas. Quando ferver, abaixe o fogo e deixe cozinhar até formar um creme consistente. Desligue o fogo. Adicione a banana e sirva em seguida.

Mingau de quinoa

Ideal para *Vata* e *Pitta*
Consumir com moderação – *Kapha*

Ingredientes

1 colher de chá de *ghee* | 2 xícaras de água | 1/2 xícara de quinoa em flocos | 2 colheres de sopa de açúcar demerara | 6 amêndoas sem pele | 1/2 colher de chá de cardamomo moído | 1 canela em pau | 1 cravo | 2 colheres de sopa de uvas-passas | 2 damascos picados | 1 pitada de noz-moscada

Preparo

Bata as amêndoas e a água no liquidificador e reserve. Esquente o *ghee* em uma panela, adicione o cravo, a canela e as uvas-passas. Quando estas últimas começarem a inchar, acrescente os damascos, o cardamomo em pó, misture bem e vá adicionando aos poucos a quinoa, o açúcar e, por último, o leite de amêndoas reservado. Mantenha no fogo por cerca de 5 minutos. Desligue, retire a canela e o cravo e sirva morno.

Kapha – substituir açúcar por mel.

Mingau de semolina

Ideal para *Vata* e *Pitta*

Ingredientes

1 colher de sobremesa de *ghee* | 1/2 xícara de farinha de semolina | 1 copo de água | 2 colheres de sobremesa de açúcar demerara | 4 amêndoas sem pele | 1 colher de chá de cardamomo | 3 colheres de sopa de uvas-passas | 3 damascos cortados em fatias finas

Preparo

Bata as amêndoas com a água no liquidificador e reserve. Em uma panela, coloque o *ghee* e a semolina e deixe tostar até ela começar a dourar e exalar um aroma delicado. Coloque o leite de amêndoas e mexa bem. Deixe cozinhar por cerca de 5 minutos, mexendo sempre, e logo em seguida adicione o açúcar. Quando começar a adquirir uma consistência mais cremosa, adicione o cardamomo, as uvas-passas e o damasco e misture bem. Desligue o fogo e sirva em seguida.

Cuscuz de milho

Ideal para *Kapha* 🌳

Ingredientes

1 colher de chá de *ghee* | 200g de farinha de milho orgânica | 100ml de água | sal a gosto | 1 colher de chá de *masala Kapha*

Preparo

Misture tudo com as mãos e coloque em uma cuscuzeira sem pressionar. Cozinhe até o cuscuz ficar firme. Desenforme e acrescente *ghee*. Sirva morno.

Arroz-doce

Ideal para *Vata* 🌬 e *Pitta* 🔥

Ingredientes

1/2 xícara (de chá) de arroz basmati cru | 250ml de leite de coco | 2 xícaras de água | 1/2 xícara de açúcar demerara | 1 canela em pau | canela em pó | 1 cravo-da-índia | 1 cardamomo moído | 10 pistaches triturados

Preparo

Em uma panela, cozinhe o arroz na água, juntamente com a canela em pau e o cravo, em fogo médio. Após 10 minutos, acrescente o açúcar, deixando mais 20 minutos no fogo, e logo em seguida acrescente o leite de coco. Cozinhe até formar um líquido espesso e que o arroz esteja bem cozido. Desligue o fogo, adicione a canela em pó, o cardomomo moído e, por último, os pistaches. Sirva morno.

Abacaxi com especiarias

Ideal para *Vata*

Ingredientes

1 colher de sobremesa de *ghee* | 1 abacaxi médio cortado em cubos pequenos | 1/2 colher de chá de semente de cominho | 2 colheres de chá de gengibre fresco ralado | 1 colher de chá de pimenta calabresa | 1/2 xícara de açúcar cristal ou demerara | 1 colher de chá de sal

Preparo

Esquente o *ghee* e imediatamente acrescente o cominho. Quando levantar espuma, adicione o gengibre e a pimenta e mexa por 30 segundos. Coloque o abacaxi, o açúcar e o sal. Mexa bem. Deixe cozinhar por cerca de 20 minutos ou até a calda ficar grossa. Sirva frio.

Halwa de manga

Ideal para *Vata* e *Pitta*

Consumir com moderação – *Kapha*

Ingredientes

1 colher de sopa de *ghee* | 3 mangas verdes descascadas | 1/2 copo de farinha de semolina | 1/3 copo de açúcar demerara ou cristal | 3 cardamomos moídos | 1 copo d'água

Preparo

Corte 1/4 das mangas em fatias finas e reserve. Bata o restante da fruta no liquidificador, sem água, até obter uma pasta cremosa. Aqueça 1/2 colher de sopa de *ghee* numa frigideira, adicione a semolina e toste até ficar bem dourada. Retire do fogo e reserve. Em uma panela funda, coloque a água e o açúcar. Aqueça-os lentamente, até o açúcar derreter. Em seguida, aumente o fogo, e espere levantar fervura e começar a engrossar. Adicione o purê de manga e a semolina e fique mexendo por 15 minutos para evitar que grude no fundo da panela. Acrescente o cardamomo em pó e as fatias de manga reservadas. Mexa por mais 2 minutos e, em seguida, desligue o fogo.

Unte forminhas ou um refratário de vidro com o *ghee* e coloque a mistura. Deixe esfriar um pouco e coloque na geladeira por cerca de 2 horas. Depois é só retirar das forminhas ou cortar em cubinhos, caso tenha usado um refratário.

Salada de frutas

Ideal para *Vata* e *Pitta* e *Kapha*

Ingredientes

1 copo de suco de laranja-lima | 1 manga cortada em cubinhos | 6 morangos cortados em fatias finas | 4 damascos cortados ao meio | 1 maçã descascada e cortada em cubos | 1 pera descascada e cortada em cubos | folhas de hortelã | 1 pitada de cardamomo em pó | 1 colher de sopa de melado

Preparo

Em um recipiente, misture o cardomomo, o melado e o suco de laranja. Quando o líquido estiver bem homogêneo, junte aos demais ingredientes e misture delicadamente. Sirva em seguida.

Vata : adicione ao suco 1 colher de chá de gengibre em pó e 1 pitada de canela em pó.

Kapha : adicione ao suco o gengibre e a canela, 1 pitada de cravo em pó e substitua o suco de laranja por suco de pêssego ou de maçã, e a pera por uva.

Creme de frutas

Ideal para *Vata*

Ingredientes

1 abacaxi descascado e cortado em pedaços médios | 4 goiabas descascadas e cortadas em pedaços médios | 2 maçãs descascadas e cortadas em cubinhos | 1 colher de sopa de gengibre

Preparo

Bata no liquidificador o abacaxi com a goiaba e o gengibre. Passe na peneira e coloque em um recipiente já com as maçãs cortadas. Misture tudo delicadamente e sirva.

Creme de papaia com amêndoas

Ideal para *Vata*

Consumir com moderação – *Pitta*

Ingredientes

1 mamão papaia sem sementes | 10 amêndoas sem pele | 1 colher de sobremesa de quinoa em flocos | 1 banana-d'água | 1/2 colher de chá de cardamomo em pó | 1 pitada de canela em pó

Preparo

Bata todos os ingredientes no liquidificador até formar um creme bem homogêneo. Sirva em temperatura ambiente.

Pitta – sem banana e canela.

Doce de ameixa com coco

Ideal para *Vata*

Consumir com moderação – *Pitta*

Ingredientes

100g de coco ralado | 300g de ameixa sem caroço | 50g de nozes picadas | 1 copo de água morna

Preparo

Bata no liquidificador as ameixas com a água até formar um creme pastoso. Coloque numa panela, misture delicadamente com o coco e as nozes e leve ao fogo. Cozinhe por cerca de 20 minutos, até começar a soltar da panela. Coloque em outro recipiente e deixe esfriar.

Doce de damasco com creme de amêndoas

Ideal para *Vata* e *Pitta*

Ingredientes

8 damascos | 10 amêndoas descascadas | 4 colheres de sopa de açúcar demerara | 1 colher de chá de canela em pó | 1 copo de água

Preparo

Bata os damascos no liquidificador com meio copo de água até formar um creme homogêneo e reserve. Bata no liquidificador as amêndoas com o restante da água, o açúcar e a canela em pó. Despeje esta mistura em uma panela, leve ao fogo e cozinhe até se tornar um creme. Retire do fogo e deixe esfriar. Em copinhos, coloque 2 ou 3 colheres do creme de damasco; por cima, acrescente o creme de amêndoas.

Torta de frutas

Ideal para *Vata*

Ingredientes

2 colheres de sopa de *ghee* | 10 castanhas de caju moídas | 15 amêndoas moídas | 10 castanhas-do-pará moídas | 2 xícaras

de aveia em flocos | 1 xícara de aveia em flocos finos | 1/2 xícara de açúcar demerara | 1 colher de chá de canela | 3 cardamomos | 4 maçãs descascadas e cortadas em fatias finas

Preparo

Coloque as maçãs em uma assadeira previamente untada com *ghee*. Misture todos os demais ingredientes até formar uma farofa bem soltinha. Jogue sobre as maçãs e leve ao forno médio por cerca de 20 minutos. Deixe esfriar e sirva.

Torta de morango

Ideal para *Vata* e *Pitta*

Ingredientes

Para massa: 1 colher de sobremesa de *ghee* ou de óleo de coco | 1 xícara de aveia em flocos | 1 xícara de aveia fina | 20 castanhas de caju | 1 colher de sopa de açúcar mascavo
Recheio: 12 morangos cortados em fatias finas | 20 amêndoas

Preparo

Bata os morangos com as amêndoas no liquidificador e reserve. Moa as castanhas até formarem uma farinha. Misture aos demais ingredientes até ficar uma massa bem homogênea. Se precisar, adicione um pouco de água. Coloque na geladeira por cerca de 30 minutos. Retire da geladeira e distribua a massa em forminhas individuais ou numa forma pequena cobrindo o fundo e as laterais. Leve ao forno pré-aquecido a 180º e deixe cozinhar por cerca de 10 minutos. Retire do forno, remova das forminhas e recheie com o creme de morango e amêndoas e leve à geladeira. Corte ou tire das forminhas e sirva em temperatura ambiente.

Bolo de banana, maçã e passas

Ideal para *Vata* e *Pitta*

Ingredientes

ghee | 2 bananas | 2 maçãs descascadas e cortadas em cubinhos | 100g de aveia em flocos | 100g de farinha de aveia | 50g de açúcar mascavo | 300g de uvas-passas | 1 colher de chá de canela em pó | 2 bagas de cardamomo em pó

Preparo

Bata as bananas no liquidificador a fim de formar um creme. Misture a ele as maçãs e os demais ingredientes. Unte a forma com *ghee* e coloque a massa. Asse por 20 minutos.

Manjar de tapioca com coco

Ideal para *Vata*

Consumir com moderação – *Pitta*

Ingredientes

300ml de leite de coco | 300ml de água | 100g de coco fresco ralado | 1 xícara de açúcar cristal | 125g de tapioca com grãos finos hidratada em 2 xícaras de água | 1 pitada de sal

Preparo

Numa panela com água, ferva o leite de coco, o sal e o açúcar. Adicione o coco ralado e a tapioca hidratada e cozinhe por mais

20 minutos. Despeje o manjar em uma forma. Deixe esfriar e leve à geladeira por 2 horas ou até ficar firme.

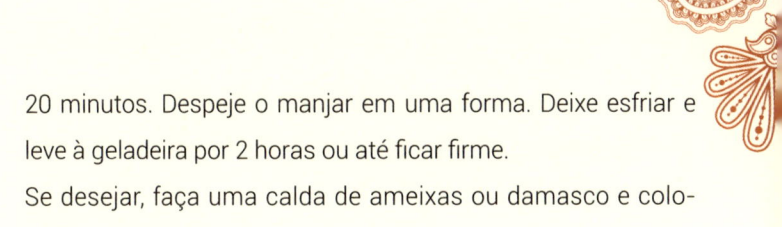

Se desejar, faça uma calda de ameixas ou damasco e coloque por cima.

Purê de maçã

Ideal para *Vata* e *Pitta*

Ingredientes

4 maçãs, descascadas e picadas | 1 colher de sobremesa de açúcar demerara | 1/4 de xícara de chá de canela em pau | 1 cravo-da-índia | 2 bagas de cardamomo (abrir e usar só as sementes)

Preparo

Em uma panela, derreta o açúcar, junto com as especiarias e a água em fogo baixo. Deixe ferver. Adicione as maçãs picadas e cozinhe até ficarem macias, por cerca de 10 minutos. Retire o cravo e a canela. Bata tudo no liquidificador, até virar um purê. Volte para a panela e cozinhe por mais 1 minuto e desligue o fogo. Sirva frio.

SUCOS E BEBIDAS

Bebidas são facilmente assimiladas pelo corpo e, por isso, podem ser excelentes opções quando estamos com falta de energia, fome ou com necessidade de nos refrescar ou nos aquecer.

A Ayurveda recomenda a ingestão de líquidos na temperatura ambiente. Os líquidos gelados devem ser evitados, pois diminuem a capacidade do *agni*, o que pode gerar gases, distensão abdominal e má digestão.

Beber um copo de água de coco em temperatura ambiente quando estamos com muito calor pode ser bem mais refrescante que ingerir um copo de água gelada. Mesmo que não percebamos logo o frescor que a água de coco sem gelo nos traz, ela atuará imediatamente em nosso organismo, suavizando e refrescando todo seu processo interno. Da mesma forma, no inverno, será mais adequado tomar um chá morno de uma erva que nos aqueça, como o anis, do que ingerir um chá muito quente de uma erva que nos resfrie por dentro, como o funcho.

Essa é uma das magias da Ayurveda: indicar as bebidas corretas para cada momento. Seguindo seus princípios, nos descondicionaremos a buscar os efeitos imediatos que as bebidas muito quentes ou muito geladas provocam.

Buscar a fórmula adequada de equilíbrio de *Vata*, *Pitta* e *Kapha* para cada bebida é o jogo saboroso da Ayurveda, influenciando nossos sistemas internos numa dança saudável.

Durante as refeições, líquidos devem ser evitados. Caso precise ingerir algum, escolha um chá de erva indicado para seu *dosha* e não ultrapasse a quantidade de 1/2 copo.

No verão, quando é comum a escolha de bebidas com gelo, prefira líquidos frescos, preparados com frutas e especiarias que diminuam *Pitta*, como água de coco, pera ou romã. Desta forma, seu corpo sentirá frescor sem prejudicar o *agni*.

Um detalhe importante: evite beber sucos às refeições. O tempo de digestão do suco é bem diferente daquele necessário para se digerir comidas sólidas. Ingeri-los simultaneamente dificulta a definição do suco gástrico a ser formado no estômago durante a digestão.

Suco de pera com água de coco

Ideal para *Vata* e *Pitta*

Ingredientes

1 copo de água de coco | 1 pera sem casca | 1 colher de chá de gengibre fresco

Preparo

Bata todos os ingredientes no liquidificador e sirva em seguida.

Suco refrescante

Ideal para *Pitta*

Ingredientes

1 colher de sopa de coco fresco | 1 copo de água de coco | melado a gosto | 1 pitada de cardamomo | folhas de coentro fresco

Preparo

Bata todos os ingredientes no liquidificador, coe e sirva em seguida.

Suco de abacaxi

Ideal para *Vata*

Ingredientes

1/2 abacaxi | 3 folhas de capim-limão | 1 pitada de cardamomo em pó | mel a gosto

Preparo

Bata todos os ingredientes no liquidificador e coe antes de beber.

Suco de figo

Ideal para *Vata* e *Pitta*

Ingredientes

2 figos secos | 2 tâmaras sem caroço | 1 copo de água de coco

Preparo

Bata todos os ingredientes no liquidificador e beba em seguida.

Suco detox

Ideal para *Vata*

Consumir com moderação – *Kapha*

Ingredientes

2 kiwis | 1/2 abacaxi | 1 pedaço pequeno de gengibre | canela em pó | 1/2 copo d'água

Preparo

Bata todos os ingredientes no liquidificador e sirva em seguida.

Suco detox II

Ideal para *Vata* 🍃 e *Pitta* 🔥 e *Kapha* 🌳

Ingredientes

1/2 toranja descascada | 4 morangos orgânicos | 1/2 maçã doce | mel a gosto | 1 pitada de cardamomo | 1 copo d'água

Preparo

Bata todos os ingredientes no liquidificador e beba em seguida.

Suco *tri-dosha*

Ideal para *Vata* 🍃 e *Pitta* 🔥 e *Kapha* 🌳

Ingredientes

4 morangos | 1 ameixa fresca | 1 copo de suco de uva integral

Preparo

Descasque as frutas e corte-as em pedaços. Bata todos os ingredientes no liquidificador e beba em seguida.

Smoothie ayurvédico de coco

Ideal para *Vata* 🍃 e *Pitta* 🔥

Ingredientes

1 copo de água de coco | 200g de coco fresco | 2 folhinhas de hortelã | 1 cardamomo inteiro | 1 colher rasa de chá de água de rosas | 1 colher de sobremesa de açúcar demerara

Preparo

Bata tudo no liquidificador até ficar um líquido bem homogêneo. Beba em seguida.

Vatas 🍃 podem colocar uma pitada de canela em pó na hora de servir.

Smoothie de pêssego

Ideal para *Pitta* 🔥 e *Kapha* 🌳

Ingredientes

1 pera | 2 pêssegos | 1 colher de chá de extrato de soja orgânico em pó | mel a gosto | 1 copo de água | canela em pó a gosto

Preparo

Descasque as frutas, tire as sementes e corte-as em pedaços. Bata todos os ingredientes no liquidificador e beba em seguida.

Leite de amêndoas

Ideal para *Vata* 🦋 e *Pitta* 🔥

Ingredientes

10 amêndoas | 1 copo de água | açúcar ou mel a gosto

Preparo

Deixe as amêndoas de molho em meio copo de água durante a noite. De manhã, retire-as com uma colher e remova a pele de cada uma delas. Coloque-as junto com meio copo de água no liquidificador e bata bem. Esquente o leite e, em seguida, adoce com açúcar ou mel.

Leite de amêndoas com especiarias

Ideal para *Vata*

Consumir com moderação – *Pitta*

Ingredientes

1 copo de água | 12 amêndoas sem pele | 2 cardamomos moídos ou 1/2 colher de chá de cardamomo em pó | 1 pitada de canela em pó | mel, stévia ou açúcar a gosto

Preparo

Bater no liquidificador todos os ingredientes até as amêndoas desmancharem por completo. Coloque em uma panela e leve ao fogo para esquentar. Caso escolha o mel, adicione somente depois de aquecido o líquido.

Lassi Vata

O *lassi* é uma bebida digestiva à base de iogurte que deve ser consumida no meio da manhã ou à tarde, nunca em jejum. Acrescente a *masala* doce na hora de misturar os ingredientes.

Ideal para *Vata* e *Pitta*

Ingredientes

1/2 copo de iogurte | 3/4 de copo de água | 1 colher de chá de canela | 1 cardamomo moído | 1 colher de sobremesa de açúcar cristal

Preparo

Bata o iogurte e a água no liquidificador por 1 minuto. Adicione os demais ingredientes e bata novamente. Beba em seguida.

Lassi Pitta

Ideal para *Pitta* 🔥

Ingredientes

1/2 copo de iogurte | 3/4 de copo de água | 1 colher de sobremesa de funcho fresco | 3 cardamomos moídos | 1 colher de chá de água de rosas | 1 colher de sobremesa de açúcar cristal

Preparo

Bata o iogurte e a água no liquidificador por 1 minuto. Adicione os demais ingredientes e bata novamente. Beba em seguida.

Lassi Kapha

Ideal para *Vata* 💨 e *Kapha* 🌳

Ingredientes

1/2 copo de iogurte | 1/2 copo de água | 1 colher de chá de mel | 1 pitada de canela em pó | 1/2 colher de chá de gengibre em pó | 1 pitada de pimenta-do-reino | 1 cardamomo moído.

Preparo

Bata o iogurte e a água no liquidificador por 1 minuto. Adicione os demais ingredientes e bata novamente. Beba em seguida.

Caipirinha ayurvédica (bebida digestiva)

Ideal para *Vata* e *Kapha*

Consumir com moderação – *Pitta*

Ingredientes

1 limão descascado e sem sementes | 1 colher de sobremesa de gengibre ralado | mel a gosto | 1/2 copo de água

Preparo

Bata tudo no liquidificador, coar e sirva em seguida.

Chai

Ideal para *Vata* e *Pitta* e *Kapha*

Ingredientes

1/2 xícara de leite de vaca | 2 xícaras de água | 1 sachê de chá-preto de excelente qualidade | 1 colher de chá da *masala* doce em pó | 1 colher de sobremesa de açúcar demerara ou cristal

Preparo

Ferva o leite e reserve. Ferva a água, coloque o chá-preto e a *masala* doce. Adicione o açúcar e misture o leite quente. Sirva em seguida.

Chá calmante *Vata*

As pessoas *Vata* estão sempre com a sensação de falta de tempo, dominadas por inquietude e ansiedade. Um chá com ervas específicas, de sabor doce, suave e quente pode ajudar a acalmar a mente e sossegar o corpo, fazendo os *Vatas* relaxarem.

Ingredientes

1 colher de chá de alcaçuz em pó | 1 colher de chá de erva-doce | 1 colher de chá de canela | 2 colheres de chá de erva-cidreira | 1 cardamomo | 200ml de água mineral

Preparo

Ferva tudo na água. Não é preciso adicionar açúcar.

Chá refrescante *Pitta*

Proporciona um efeito calmante e de resfriamento do corpo, da mente e das emoções. É perfeito para os momentos de raiva, frustração, irritabilidade, excesso de calor. Ideal para resfriar as emoções de *Pitta* e mantê-lo tranquilo e pacífico.

Ingredientes

2 colheres de chá de hibisco | 2 cardamomos em pó | 1 colher de chá de rosa branca seca | 1 colher de chá de capim-limão | 1 colher de chá de jasmim | 200ml de água mineral

Preparo

Ferva a água e coloque as ervas em infusão por 10 minutos. Se desejar, pode adoçar com açúcar cristal ou demerara.

Chá energizante *Kapha*

Ervas estimulantes, motivadoras e energéticas. Tudo que os *Kaphas* precisam para se sentirem alertas, saírem da inércia e ganharem ânimo para realizar todas das atividades do dia.

Ingredientes

1/4 de colher de chá de gengibre seco | 1/4 de colher de chá de cravo | 1 casca de canela pequena | 1/4 de colher de pimenta-preta | 200ml de água mineral

Preparo

Ferva tudo na água. Tome puro ou adoce com mel cristalizado.

Chá *tri-dosha*

Ervas para equilibrar os três *doshas*

Ingredientes

1/4 de colher de chá de gengibre seco | 1 cravo | 1 casca de canela pequena | 1 cardamomo | 1 colher de chá de erva-doce | 200ml de água mineral

Preparo

Ferva tudo na água. Tome puro ou adoce com mel cristalizado.

Índice de receitas

Ghee • 152
Chapati • 153

Masalas • 154
Garam masala • 154
Masala Vata • 155
Masala Pitta • 155
Masala Kapha • 155
Masala chai • 156

Chutneys • 156
Chutney de manga • 157
Chutney de coentro • 158
Chutney de abacaxi • 158
Chutney de maçã • 159
Raita de pepino • 160

Arroz • 160
Basmati • 161
Com nozes e cúrcuma • 162
Com legumes • 162
Kichari • 163
Pulao • 164
Com castanhas • 165
Com moyashi • 165

Legumes . 166

Purê de batata-doce . 168

Cogumelos ao *curry* . 168

Curry de legumes . 169

Curry de *shitake* . 170

Polenta com *shitake* . 171

Creme de espinafre . 171

Aspargos ao molho de tomilho . 172

Quibe de abóbora . 173

Broto de feijão com legumes . 174

Bobó de pupunha . 174

Abóbora com especiarias . 175

Vagem refogada . 176

Abobrinha refogada . 177

Palmito com alecrim . 177

Couve-flor com coco . 178

Quiabo com especiarias ao leite de coco . 178

Salada de beterraba com coco . 179

Salada de repolho . 179

Salada de pepino . 180

Massas . 180

Talharim de quinoa . 181

Talharim com aspargos frescos . 182

Espaguete integral com acelga . 183

Penne ao molho de tomate com coco . 183

Peixes • 184

Namorado com leite de coco • 186

Salmão com especiarias • 186

Linguado com molho de tomate e azeitonas • 187

Grãos • 188

Lentilha verde • 190

Lentilha rosa • 191

Hambúrguer de lentilha • 191

Dhal de ervilha partida • 192

Farofa de gérmen de trigo • 193

Grão-de-bico com legumes • 194

Feijão-azuqui com abóbora • 194

Feijão-fradinho com quiabo • 195

Sopas • 196

Inhame com espinafre • 197

Inhame com beterraba • 198

Inhame com especiarias • 199

Abóbora com manjericão • 200

Ervilha partida • 200

Mandioquinha • 201

Aspargos frescos • 202

Aspargos com amêndoas • 202

Cenoura com gengibre • 203

Abobrinha • 204

Sopa de milho . 204

Sopa de repolho . 205

Creme de couve-flor . 206

Caldo verde . 206

Doces, lanches e mingaus . 207

Mingau de aveia . 209

Mingau de quinoa . 210

Mingau de semolina . 210

Cuscuz de milho . 211

Arroz-doce . 211

Abacaxi com especiarias . 212

Halwa de manga . 213

Salada de frutas . 214

Creme de frutas . 214

Creme de papaia com amêndoas . 215

Doce de ameixa com coco . 215

Doce de damasco com creme de amêndoas . 216

Torta de frutas . 216

Torta de morango . 217

Bolo de banana, maçã e passas . 218

Manjar de tapioca com coco . 218

Purê de maçã . 219

Sucos e bebidas 219

Suco de pera com água de coco • 221

Suco refrescante • 221

Suco de abacaxi • 222

Suco de figo • 222

Suco detox • 222

Suco detox II • 223

Suco *tri-dosha* • 223

Smoothie ayurvédico de coco • 223

Smoothie de pêssego • 224

Leite de amêndoas • 224

Leite de amêndoas com especiarias • 225

Lassi Vata • 225

Lassi Pitta • 226

Lassi Kapha • 226

Caipirinha ayurvédica • 227

Chai • 227

Chá calmante *Vata* • 227

Chá refrescante *Pitta* • 228

Chá energizante *Kapha* • 228

Chá *tri-dosha* • 229

Copyright © 2013 by Laura Pires

Direitos desta edição reservados à
EDITORA ROCCO LTDA.
Rua Evaristo da Veiga, 65 — 11º andar
Passeio Corporate — Torre 1
20031-040 — Rio de Janeiro, RJ
Tel.: (21) 3525-2000 — Fax: (21) 3525-2001
rocco@rocco.com.br
www.rocco.com.br

Printed in Brazil/Impresso no Brasil

Preparação de originais
JULIA WÄHMANN
SÔNIA PEÇANHA

Projeto gráfico de capa e miolo
SUIÁ TAULOIS

Pesquisa bibliográfica e foto da autora
MARCUS FAHR PESSÔA

CIP-Brasil. Catalogação na publicação.
Sindicato Nacional dos Editores de Livros, RJ

P745s

    Pires, Laura
        O sabor da harmonia : receitas ayurvédicas para
    o bem-estar / Laura Pires. — Rio de Janeiro:
    Rocco, 2017.

    ISBN 978-85-325-2867-4

    1. Medicina ayurvédica. 2. Saúde. I. Título.

13-04805   CDD: 615.53
                                             CDU: 615.85

Impressão e Acabamento:
BARTIRA GRÁFICA